DU MÊME AUTEUR

Aux Éditions Gallimard

LA PART MANQUANTE

LA FEMME À VENIR

UNE PETITE ROBE DE FÊTE

LE TRÈS-BAS

L'INESPÉRÉE

LA FOLLE ALLURE

LA PLUS QUE VIVE

AUTOPORTRAIT AU RADIATEUR

GEAI

LA LUMIÈRE DU MONDE

En collaboration avec Édouard Boubat

DONNE-MOI QUELQUE CHOSE QUI NE MEURE PAS

Aux Éditions du Mercure de France

TOUT LE MONDE EST OCCUPÉ

Aux Éditions Lettres Vives

L'ENCHANTEMENT SIMPLE

LE HUITIÈME JOUR DE LA SEMAINE

L'AUTRE VISAGE

L'ÉLOIGNEMENT DU MONDE

MOZART ET LA PLUIE

Suite de la bibliographie en fin de volume

RESSUSCITER

CHRISTIAN BOBIN

RESSUSCITER

GALLIMARD

Il a été tiré de l'édition originale de cet ouvrage quarante exemplaires sur vélin pur fil des papeteries Malmenayde numérotés de 1 à 40.

Les yeux d'Agnès — mine de plomb
de Gilles Dattas

Un lit de lumière, une chaise de silence, une table en bois d'espérance, rien d'autre : telle est la petite chambre dont l'âme est locataire.

Au moment de la communion, à la messe de Pâques, les gens se levaient en silence, gagnaient le fond de l'église par une allée latérale, puis revenaient à petits pas serrés dans l'allée centrale, s'avançant jusqu'au chœur où l'hostie leur était donnée par un prêtre barbu portant des lunettes cerclées d'argent, aidé par deux femmes aux visages durcis par l'importance de leur tâche — ce genre de femmes sans âge qui changent les glaïeuls sur l'autel avant qu'ils ne pourrissent et prennent soin de Dieu comme d'un vieux mari fatigué. Assis au fond de l'église et attendant mon tour pour rejoindre le cortège, je regardais les gens — leurs vêtements, leurs dos, leurs nuques, le profil de leurs visages. Pendant une seconde ma vue s'est ouverte et c'est l'humanité entière, ses milliards d'individus, que j'ai découverte prise dans cette coulée lente et silencieuse : des vieillards et des adolescents, des riches et des pauvres, des femmes adultères et des petites filles graves, des fous, des assassins et des génies, tous raclant leurs chaussures sur les dalles froides et bosselées de l'église, comme des morts qui sortaient sans impatience de leur nuit pour aller manger de la lumière. J'ai su alors ce que serait la résurrection et quel calme sidérant la précéderait. Cette vision n'a duré qu'une seconde. À la seconde suivante la vue ordinaire m'est revenue, celle d'une fête religieuse si ancienne que le sens s'en est émoussé et qu'elle ne demeure plus que pour être vaguement associée aux premières fièvres du printemps.

Il y a une étoile mise dans le ciel pour chacun de nous, assez éloignée pour que nos erreurs ne viennent jamais la ternir.

C'est une étrange expérience que d'aller au cimetière rendre visite à quelqu'un qu'on a aimé. Cela commence par une promenade douce et nonchalante, presque rêveuse, jusqu'à cet instant où il n'est plus possible de faire un seul pas en avant et où on se trouve devant une pierre tombale comme devant un obstacle infranchissable. On s'apprêtait à rencontrer quelqu'un et il n'y a personne, il n'y a même plus rien, comme si la terre était plate et qu'on en avait par distraction atteint une bordure. Je me sens devant la tombe de mon père comme devant un mur, au fond d'une impasse. Il ne me reste plus qu'à lancer mon cœur par-dessus, comme font les enfants quand ils jettent un ballon pardessus un mur d'enceinte, pour le plaisir un peu anxieux, en allant le rechercher, de pénétrer dans une propriété inconnue. J'ignore sur quel gravier rebondit mon cœur quand je le lance par-dessus une tombe plus haute que le ciel, mais je sais que ce geste n'est pas vain : au bout de quelques secondes il me revient, empli de joie et aussi frais que le cœur d'un moineau nouveau-né.

Le jour où nous consentons à un peu de bonté est un jour que la mort ne pourra plus arracher au calendrier.

La messe pour mon père a eu lieu, non dans l'église qui ne pouvait être chauffée un jour de semaine, mais dans une salle paroissiale. Un autel minuscule, des chaises de cuisine, une vingtaine de personnes. J'étais assis au premier rang. Je me suis aperçu que je ne comprenais plus rien aux paroles de la Bible. Le prêtre a évoqué un lion et une fournaise, puis il a insisté sur la nécessité de « relever la tête », de regarder quelque chose en face. Regarder quoi, je l'ignore. Par instants, j'ai l'impression que les paroles que j'entends sont comme une porcelaine qui viendrait d'être brisée : j'en ramasse un morceau ici et là, je le tourne et le retourne, je ne sais plus quoi en penser. Même les choses que je croyais connaître me paraissent mystérieuses.

Les feuilles des tilleuls, avec leurs faces extérieures d'un vert frais comme du lait, leurs faces intérieures d'un vert pâle, presque blanc comme les joues d'un enfant anémié, et les clochettes vieil or de leurs fleurs, ressemblent à des lampes attachées à un fil et ondulant sous le vent, éclairant les mystères du plein jour.

J'aimerais tellement aimer ceux que je vois — mais pourquoi sont-ils si peu présents à eux-mêmes ?

Le jour de l'enterrement de sa mère, C. a été piquée par une abeille. Il y avait beaucoup de monde dans la cour de la maison familiale. J'ai vu C. dans l'infini de ses quatre ans, être d'abord surprise par la douleur de la piqûre puis, juste avant de pleurer, chercher avidement des yeux, parmi tous ceux qui étaient là, celle qui la consolait depuis toujours, et arrêter brutalement cette recherche, ayant soudain tout compris de l'absence et de la mort. Cette scène, qui n'a duré que quelques secondes, est la plus poignante que j'aie jamais vue. Il y a une heure où, pour chacun de nous, la connaissance inconsolable entre dans notre âme et la déchire. C'est dans la lumière de cette heure-là, qu'elle soit déjà venue ou non, que nous devrions tous nous parler, nous aimer et même le plus possible rire ensemble.

Une intelligence sans bonté est comme un costume de soie porté par un cadavre.

Une fée s'est penchée sur mon berceau à ma naissance et m'a dit : « Tu ne goûteras qu'à une part minuscule de cette vie et en échange tu la percevras toute. »

Je marchais dans le parc de la Verrerie, ma mère à mon bras droit, quand j'ai vu sur ma gauche, vibrant au ras de l'herbe, un papillon dont les ailes violettes ressemblaient au fragment d'une lettre déchirée, tombée d'un ciel mystique. Ma mère marchait si lentement, essoufflée par la pente sur laquelle nous nous étions égarés, que j'ai pu pendant plusieurs minutes exercer avec le même soin ces deux activités qui couvrent le champ de ma vie et ne peuvent jamais être menées de front : être présent à ceux que j'aime, et m'absenter dans la lecture d'un texte écrit ce jour-là à l'encre violette et vibrant d'une vérité insoutenable.

La vue d'un demi-cercle noir au cou d'une tourterelle, comme un collier brisé, resserre sur mon cœur l'emprise d'une chose qui me tient depuis toujours sous son charme.

Les visages sont les plaques sensibles des âmes — ce sur quoi, après ce qu'il aura fallu de temps et d'obscurité, elles se révèlent.

Sur une tombe proche de celle où repose mon père, un bouquet de roses rouges se décolore depuis quelques semaines, enveloppé de cellophane. Il a dû être commandé depuis une autre ville et livré là par un fleuriste. Il est ceint d'un bandeau mauve, avec ce seul mot en lettres dorées auxquelles le soleil chaque jour retire un peu d'éclat : « maman ». Quand je passe devant cette tombe et que je lis ce mot, je fais plus que le lire : je l'entends comme un cri de plus en plus faible et déchirant avec les jours qui passent.

Devant la mort nous serons comme à notre naissance, radicalement privés de toute puissance. C'est à cette faiblesse en nous que l'amour devrait s'adresser pour ne jamais se perdre.

Les lumières qui nous sont accordées sont si nombreuses que, même en le voulant, nous ne pourrions les gâcher toutes.

J'ai pendant un an rendu visite à mon père dans la maison où sa mémoire jour après jour rétrécissait comme une buée sur du verre, au toucher du soleil. Il ne me reconnaissait pas toujours et cela n'avait pas d'importance. Je savais bien, moi, qu'il était mon père. Il pouvait se permettre de l'oublier. Il y a parfois entre deux personnes un lien si profond qu'il continue à vivre même quand l'un des deux ne sait plus le voir.

J'ai eu plaisir à remettre d'aplomb un pot de fleurs renversé par le vent sur une tombe voisine de celle de mon père. Je ne connaissais pas ces gens et mon père ne les connaissait pas non plus, mais ils ne sont plus tout à fait des étrangers l'un pour l'autre, puisqu'ils mangent aujourd'hui le même pain du ciel.

Mon cœur ne s'éveille que rarement, mais quand il le fait c'est pour bondir aussitôt sur l'éternel comme sur une proie de choix.

Les saintes que j'ai connues ne se souciaient pas de l'être. Elles étaient de tous âges et de toutes apparences. Elles avaient en commun d'aller dans le monde avec un grand naturel et une décision enjouée, comme s'il n'y avait jamais eu ni loi ni morale. Chacune donnait sans y penser plus d'amour que le soleil donne de lumière. L'une dans son vieil âge s'occupait d'un petit jardin et dormait dans une chambre grande comme une noisette. Une autre, quand elle entrait dans une pièce, la gaieté entrait avec elle, comme un moineau voletant dans ses yeux clairs. Une troisième, âgée de quatre ans, trouvait dans les jeux dont elle ne se lassait pas une raison suffisante pour rire jusqu'à la fin du monde et même au-delà. Et quelques autres ainsi, toutes ignorantes d'elles-mêmes et apportant au monde un bien plus précieux que la vie.

Ils se vantent d'avoir l'esprit libre et, lorsqu'on leur parle de Dieu, deviennent aussi furieux qu'un chien tirant sur sa chaîne au passage d'un vagabond.

C'est en regardant vivre mon père que j'ai appris ce qu'était la bonté et qu'elle est l'unique réalité que nous puissions jamais rencontrer dans cette vie irréelle.

Je suis un jour entré dans un lien où chaque parole de l'un était recueillie sans faute par l'autre. Il en allait de même pour chaque silence. Ce n'était pas cette fusion que connaissent les amants à leurs débuts et qui est un état irréel et destructeur. Il y avait dans l'amplitude de ce lien quelque chose de musical et nous y étions tout à la fois ensemble et séparés, comme les deux ailes diaphanes d'une libellule. Pour avoir connu cette plénitude, je sais que l'amour n'a rien à voir avec la sentimentalité qui traîne dans les chansons et qu'il n'est pas non plus du côté de la sexualité dont le monde fait sa marchandise première — celle qui permet de vendre toutes les autres. L'amour est le miracle d'être un jour entendu jusque dans nos silences, et d'entendre en retour avec la même délicatesse : la vie à l'état pur, aussi fine que l'air qui soutient les ailes des libellules et se réjouit de leur danse.

L'homme dont on parle quand on parle de mes livres n'existe pas.

Les feuilles tombées du tilleul se recroquevillent comme un cœur se resserre autour du souvenir de ce qu'il a perdu.

Je me suis quitté un peu partout, dans les chambres de Dijon où, pour mes études, je veillais sur des livres enchanteurs, et sur les chemins de campagne de Saint-Sernin où j'écoutais G. rire et parler, en regardant voler au-dessus d'un étang les aigrettes des fleurs de pissenlit. Celui que j'étais dans ces heures calmes vit encore là où je l'ai quitté. Il continue de lire les mêmes livres dans les mêmes chambres à coucher et se promène au bord du même étang. Je l'aperçois parfois quand le présent se fait assez clair pour que je puisse voir au-delà du temps.

Combien de temps le rouge-gorge a-t-il joué sous mes yeux ? Deux secondes, peut-être trois — et cela a suffi pour qu'avec son bec il attrape une maille de mon cœur et, en s'envolant brusquement, défasse toute la pelote pour l'emmener dans le ciel où je me découvrais soudain rêveur.

Quand on voit ce monde on voit l'autre en transparence, comme le filigrane pris dans la trame du papier.

Lors du mariage de G. et M., une table avait été dressée dans le jardin en pente de la maison de Saint-Bueil, en Isère. Des fruits et des gâteaux brillaient sur la nappe blanche et un chandelier luttait contre les ombres de la fin d'après-midi, éclairant par en dessous les larges feuilles d'un arbre. J'ignore pourquoi certaines images s'inscrivent en moi au plus profond. Les années ont passé et la table est toujours dressée dans le jardin de Saint-Bueil, les fruits ne se sont pas décomposés et les feuilles de l'arbre continuent à recevoir l'hommage tremblant de la lumière du chandelier. Les nourritures offertes et les fières sentinelles des bougies demeurent dans mon esprit comme le signe d'une résurrection anticipée, à même la vie.

En cette veille de Toussaint, les bouquets fraîchement déposés sur les tombes luisaient dans l'air
humide comme ces veilleuses qu'on allume au
chevet des lits d'enfants.

Tout ce que je sais du ciel me vient de l'étonnement que j'éprouve devant la bonté inexplicable de
telle ou telle personne, à la lumière d'une parole ou
d'un geste si purs qu'il m'est soudain évident que
rien du monde ne peut en être la source.

Le quartier des enfants au cimetière Saint-Charles est sur les hauteurs. Des anges de marbre blanc, hauts d'une cinquantaine de centimètres, font ricocher la lumière du ciel sur les tombes étroites. Un enfant de cinq ans, mort en 1942, avait un ami de son âge qui, le jour de son enterrement et les semaines suivantes, a affirmé à ses parents qu'il n'abandonnerait pas son copain et qu'il irait bientôt jouer avec lui sous la terre. Les usines du Creusot ont été bombardées un an plus tard. L'enfant est mort dans un des bombardements. Il repose dans la tombe voisine de celle de son ami. Avec un peu de silence on peut entendre dans ces lieux la douleur et les cris des familles. Avec un silence un peu plus profond, on peut surprendre les rires des deux inséparables, tout occupés à jouer après le ravissement des retrouvailles.

Ils peuvent tout faire entrer dans leurs calculs sauf la grâce, et c'est pourquoi leurs calculs sont vains.

Je suis rescapé d'un effondrement qui a eu lieu dans les premières années de ma vie et dont j'ignore les causes. J'ai seulement la certitude d'avoir été pris sous une avalanche et d'avoir été miraculeusement préservé de l'engloutissement total. Chaque phrase que j'écris me désencombre un peu plus, faisant glisser la mort de mes épaules comme de la neige, par plaques.

Certaines choses disparaissent, d'autres apparaissent et quelques-unes, semble-t-il, sont comme si elles avaient toujours été là et devaient toujours y être, comme la sonnerie du collège voisin qui délivre à heure fixe les voix des enfants, donnant aux murs de l'établissement centenaire une fraîcheur surnaturelle.

J'écris avec une balance minuscule comme celles qu'utilisent les bijoutiers. Sur un plateau je dépose l'ombre et sur l'autre la lumière. Un gramme de lumière fait contrepoids à plusieurs kilos d'ombre.

Les roses de jardin, sur la table, avaient souffert de l'orage, la veille d'être cueillies : leurs pétales se sont détachés en quelques heures, tombant en pluie blanche sur un livre ouvert. Cette vision était si belle que je n'ai pas osé toucher le livre de toute la semaine. Il m'a bien manqué pendant ce temps, mais les pétales faisaient de ses phrases une lecture sans aucun doute plus fine et pertinente que la mienne.

J'écoute parfois les voix sans me laisser distraire par les mots qu'elles portent. Ce sont alors les âmes que j'entends. Chacune a sa vibration propre. Certaines n'émettent que des fausses notes : il faudrait qu'un Dieu retende leurs cordes, comme un aveugle accorde un piano.

J'ai vu un nid en ruine au sommet d'un grand arbre et cette vision était aussi douce que celle d'un cœur qui a fait son travail.

Dans la nuit bleutée de l'hôpital, mon père, somnolent, s'en allait vers sa mort. J'ai commencé à lui parler. Ses yeux se sont ouverts, brillant dans la pénombre comme ceux d'un chat. Son sourire a fait écho à mes paroles, irradiant son visage. La mort a parfait son œuvre quelques jours plus tard. Elle n'a rien pu toucher au sourire : je le vois encore, plusieurs mois après, comme une énigme dont je n'aurai pas assez de ma vie entière pour la déchiffrer.

J'aurais aimé passer ma vie à ne pas dire un mot ou bien juste les mots nécessaires à la venue de l'amour et de la clarté, très peu de mots en vérité, beaucoup moins que de feuilles sur les branches du tilleul.

Presque rien n'a encore été écrit sur la bonté et c'est pourquoi il reste un immense avenir à l'écriture.

Je me suis penché sur la tombe de mon père et j'ai appuyé ma main sur la pierre froide. Des nuages obscurcissaient le ciel. Le soleil est apparu et il a posé sa main sur la mienne. Le glacé de la pierre me disait l'absence définitive de mon père et la chaleur du soleil me disait la douceur toujours agissante de son âme. Je ne suis resté ainsi qu'une poignée de secondes, puis je me suis relevé et suis revenu dans la ville avec au cœur une force énorme.

Les moineaux s'envolent du feuillage du tilleul comme les paroles de la bouche d'un sage.

Les âmes sont des décrets, une manière propre à chacun de jeter sa vie au néant ou de la lancer jusqu'au ciel — une décision prise au plus intime, à n'importe quel âge, dans les ténèbres et pourtant en toute clarté.

Il n'y a pas de plus grand malheur sur cette terre que de n'y trouver personne à qui parler et nos bavardages, loin de remédier à ce silence, ne font la plupart du temps que l'alourdir.

Cette tourterelle ne quittait plus la branche nue du tilleul, ne se déplaçant de temps en temps que d'un quart de tour afin de donner moins de prise au vent froid qui, rebroussant le duvet cendré de sa gorge, pinçait sa chair rose. Ce n'est qu'au bout d'une demi-heure et à la vue d'une autre tourterelle filant dans l'air qu'elle s'arracha à sa mélancolie d'enfant unique et, dans un jaillissement de lumière, suivit sa nouvelle amie dans la grande rue du ciel.

La photographie noir et blanc tient dans la paume d'une main. Ses bords sont dentelés comme ceux d'un petit gâteau sec. Elle a été prise en 1954. J'ai donc trois ans. Je porte une barboteuse dont l'élastique me gêne et que je tire pour l'assouplir. Ma main gauche tient la main de mon père. Il est vêtu d'une chemise d'été et d'un short long. Nous sommes sur un chemin de campagne. Nos regards se portent au loin dans la même direction et nos visages, moitié intrigués, moitié soucieux, ne cherchent à plaire à personne. Quand j'ai montré cette image à ma mère, elle s'est exclamée : « Dans ces années-là tu étais tout le temps avec ton père, tu ne le quittais jamais. » J'ai pensé, sans le lui dire, que c'était encore le cas et qu'il fallait bien plus que la mort pour desceller ces deux mains calmement refermées l'une sur l'autre. Certes, quelque chose a bien changé, et si une photographie pouvait être prise aujourd'hui, avec une pellicule assez sensible pour être impressionnée par l'invisible, elle montrerait les mêmes personnes se tenant par la main, mais ayant échangé leurs tailles : je suis à présent l'homme mûr qu'était mon père, et lui a l'âge que nous donne la mort quand elle nous irradie de son innocence, à quelque instant qu'elle apparaisse : deux ou trois ans, guère plus et peut-être moins.

J'ai cueilli du houx dans la forêt et j'en ai ramené quelques branches chez moi comme on emporte dans son cœur une parole tranchant par son amour, vert et rouge, sur toutes les paroles entendues au cours des jours sans grâce.

Le village de Saint-Ondras en Isère est incroyablement étendu comme si Dieu, secouant dans sa main fermée les dés de chaque maison, les avait soudain lancés sur plusieurs hectares de tapis vert. Un de ces dés a roulé sur le sommet d'une colline, formant le cimetière et portant sur sa face le chiffre de l'infini. Là-bas repose celle dont il me semble parfois entendre le rire clair, comme si sa vie avec la mort dedans n'avait été qu'un jeu de hasard auquel, en une seconde, elle avait tout gagné.

Je cherche la grande douceur, celle que personne n'a jamais vue et dont l'existence ne fait aucun doute car c'est à elle qu'on doit la beauté odorante des jacinthes, la lumière dans les yeux étonnés des bêtes et tout ce qu'il y a sur terre et dans les livres de bienfaisant.

Les insectes vont et viennent dans l'air comme l'aiguille dans un tissu qu'on raccommode et dont la pointe tantôt apparaît, tantôt disparaît, avec des mouvements vifs et saccadés.

Les premières fissures dans la digue sont apparues il y a longtemps. Elles sont d'abord passées inaperçues puis elles se sont élargies. Maintenant la digue a cédé et un torrent de boue envahit le monde. Nous n'en sommes qu'au début. Tout le mal qu'il est possible d'imaginer sera réalisé. C'est une lame de fond puissante sur laquelle personne n'a prise. Quelques-uns y trouvent leur jouissance, tressautant comme des bouchons en surface des eaux noires. Ce mouvement prendra du temps pour s'inverser. Une renaissance viendra, c'est certain, mais ni vous ni moi ne la verrons.

La femme de l'ogre est plus terrible que l'ogre.

Ils vivent dans les ténèbres, leurs âmes mêlées comme des serpents et le moindre coup de lumière sur eux leur fait dresser la tête pour mordre.

Juché à trois ans sur les épaules de mon père, je touchais du bout des doigts un ciel étonnamment vide.

Chaque fois que j'entrais dans la chambre de cet homme, à l'Hôtel-Dieu où je travaillais, je lui découvrais un visage brillant de larmes : on avait dû lui couper les deux jambes et il passait ses journées à pleurer en silence. Un jour où je l'aidais à manger, je l'ai vu expirer entre deux cuillerées : sa mort était soudain venue le consoler, comme ces mères qui s'arrachent à leur sommeil pour venir essuyer les larmes de l'enfant terrifié par un cauchemar.

Toute rencontre m'est cause de souffrance, soit parce qu'elle n'a lieu qu'en apparence, soit parce qu'elle se fait vraiment et c'est alors la nudité du visage de l'autre qui me brûle autant qu'une flamme.

Je place un papier blanc sur la table et j'attends que les mots, attirés par la luminosité, viennent s'y prendre.

« Entrer dans le sein de Dieu » est une expression qui se trouve dans la Bible. La Bible est un livre que plus grand monde ne lit, si épais qu'il ressemble à une forêt abandonnée, envahie de broussailles et parcourue par des bêtes sauvages qui vivent loin du regard des hommes. J'ai longtemps cru que cette expression n'était qu'une manière poétique de parler, donnant une belle lumière comme il s'en trouve par milliers dans la Bible et les forêts en déshérence. Ce n'est que ce matin, en regardant les moineaux s'engouffrer par dizaines dans le feuillage odorant du tilleul que j'ai enfin compris ce que c'était, le sein de Dieu, et quel délice ce pouvait être d'y entrer un jour.

Il n'y a rien de caché, tout est là sous nos yeux, la vie passée, la vie présente et la vie future, comme trois petites filles échangeant en riant des confidences sur une route de campagne.

Le cœur des morts est une boîte à musique. À peine commence-t-on à penser à eux qu'il en sort un air léger et déchirant.

La dernière fois que j'ai vu mon père dans la maison de long séjour, il n'avait plus de goût pour la parole ni d'appétit pour la nourriture amenée par ma mère. Son visage était comme un ciel où courent les nuages. Une ombre l'avait frôlé pour lui annoncer sa mort prochaine, comme ces anges dans la Bible qui effleurent de la main le cœur de celui qu'ils vouent au pire en même temps qu'à la vérité.

Je lis dans les petites feuilles jaunes du bouleau, ruisselantes de pluie et résistant au vent qui les bat, comme dans une lettre un peu hâtive écrite par un Dieu pauvre.

J'ai donné mon cœur à la très sainte et très lumineuse paresse et elle en a fait ce qu'elle a voulu, me poussant sur tel chemin, me retenant sur tel autre ou me jetant dans telle ornière, mais toujours me protégeant du monde et de sa terrible amitié.

La terre se couvre d'une nouvelle race d'hommes à la fois instruits et analphabètes, maîtrisant les ordinateurs et ne comprenant plus rien aux âmes, oubliant même ce qu'un tel mot a pu jadis désigner. Quand quelque chose de la vie les atteint malgré tout — un deuil ou une rupture —, ces gens sont plus démunis que des nouveau-nés. Il leur faudrait alors parler une langue qui n'a plus cours, autrement plus fine que le patois informatique.

Pour la fête des Rameaux, j'ai déposé du buis sur la tombe de mon père. Il m'a fallu un peu de temps pour en glisser les branches entre la croix et la tombe sur laquelle elle est vissée. Des feuilles s'en sont détachées que le vent a emportées, petites et courbes comme des ongles de bébé.

C'était une soirée comme souvent les gens en passent, à parler sans parler. Nous étions six, assis à la table dressée dans le jardin. Le vert de l'herbe alentour s'imprégnait lentement du noir de la nuit d'été. Quelques bougies se consumaient sur la table, leurs flammes tourmentées par un vent pourtant faible. Chacun parlait de choses sans importance comme si personne ne devait jamais mourir, c'est-à-dire tout perdre ou tout gagner en une seule fois. De temps en temps une vibration douloureuse traversait la voix de l'un des hôtes, portant une fraîcheur qui ne durait pas, amenée par le souci d'un enfant ou le nom d'un être disparu. Je regardais le livre grand ouvert des visages. Je goûtais au vin rosé et j'essayais de deviner l'heure décente pour prendre congé quand le miracle a eu lieu : les premières étoiles sont apparues dans le ciel, quelques chauves-souris ont rasé la cime des arbres et la table s'est mise à ressembler à une longue barque à fond plat, se déplaçant dans l'eau noircie des herbes. Il y avait là des gens que je ne reverrais peut-être jamais de ma vie, tous assis avec moi dans une embarcation qui glissait sans bruit dans la nuit noire, à peine éclairée par la flamme inquiète des bougies. Cette scène disait, sur la solitude et l'énigme de nos vies, une vérité que nos paroles ne disaient pas. Je me suis levé et je suis rentré chez moi sans attendre la fin du miracle. Je me demande parfois si la vie n'est pas qu'un infini et âpre enchantement, tant elle ressemble aux images qu'on voit dans les livres de contes et dont les ombres, plus que les clartés, instruisent l'âme austère des enfants.

Les moineaux se balancent sur les branches du bouleau devant la fenêtre de la chambre, minuscules trapézistes sous un chapiteau de ciel blanc.

J'ai toujours l'espérance de grandes choses. J'ignore en quoi elles consistent et je les attends sans impatience. Il est même possible qu'elles soient déjà venues sans que je m'en sois rendu compte. Mon âme est comme un chien en arrêt devant un buisson, aux aguets d'un gibier proche et invisible. Bien sûr je n'attrape jamais rien, aucune proie, juste, et c'est suffisant, la certitude éblouie d'avoir entrevu une chose plus grande que ma vie et pourtant accordée à elle, une lumière si pure qu'elle en est presque cruelle.

Comme ils sont parfois loin de mériter ce nom, ceux que nous avons coutume d'appeler « nos proches » !

Une jolie femme qui n'a aucun souci de plaire est d'emblée sans rivale, au sommet de toute beauté comme le sont les roses et les saintes.

Le rosier qui frissonne sous la petite fenêtre de la cuisine, devant la maison de M.-C. et N. à Saint-Ondras, les acacias dont les fleurs grêles maintiennent la présence de l'éternel à la maison de long séjour au Creusot, le magnolia de la rue Notre-Dame à Marciac qui s'endort et se réveille au chant des tourterelles et le tilleul devant ma fenêtre, dont les lueurs vertes ricochent sur la page du livre que je lis : tous font partie de ma famille et, bien qu'enracinés à jamais là où ils sont, dans mon cœur qui les aime leurs feuilles se touchent et se parlent.

B. depuis des années lit des livres religieux, passant des soirées entières sur quelques phrases dont il admire la délicatesse, comme un diamantaire penché sur une pierre d'une eau particulièrement pure, méditant, soulignant, recopiant, cherchant d'autant plus vainement la vérité qu'il l'a trouvée depuis toujours et qu'il lui manque de la sortir des livres où elle s'étiole pour la faire entrer dans son cœur où seulement elle pourrait vivre.

Les vivants apparaissent et disparaissent autour de moi comme les colombes qui sortent des mains vides du magicien. J'ai beau regarder attentivement ces mains, je ne trouve aucune explication.

J'ignore où sont ceux que j'ai aimés et qui sont morts. Je sais seulement qu'ils ne sont pas dans les cimetières, même si le soleil s'incline chaque jour devant leurs tombes pour y faire briller leurs noms. De l'au-delà je n'imagine rien, ou bien quelque chose de semblable à ces champs qui ne sont plus cultivés depuis longtemps et dont, même en cherchant dans les lourds registres mauves des mairies, on ne retrouverait pas le propriétaire. Le Christ arpente cette terre inculte qui a échappé à la tyrannie de l'utile, avec le pas lent du vagabond qui n'a rien d'autre à faire qu'à contempler la vie aux mille nuances. Quand il s'allonge dans l'herbe pour une sieste, des papillons s'approchent de son visage, brassant l'air qu'il respire par le battement sans bruit de leurs ailes colorées.

Le soleil parlait si clairement ce matin que, si j'avais pu prendre en note ce qu'il disait, j'aurais écrit le plus beau livre de tous les siècles.

La sainteté n'est rien de ce qu'on imagine. J'ai rencontré aujourd'hui une troupe de primevères bavardant à l'air libre et faisant de leurs bavardages une prière qui montait droit au ciel. Leur cœur était ouvert aux pluies, aux sécheresses et même à l'arrachement. Ne pas choisir dans ce qui vient était leur manière impeccable d'être saintes. Je piétinais dans mes pensées quand elles me sont apparues sur le bas-côté de la route, offrant à la lumière le berceau coloré de leurs pétales. Le vent faisait vibrer leurs formes, imprimant sur un fond d'herbes un texte digne de louanges. Tous ceux que je rencontre me font de la peine. Je vois une ombre — un chagrin, une absence, un manque — traverser leurs yeux même quand ils rient, comme un petit lézard qui se faufilerait entre deux pierres, tremblant d'être aperçu. Et moi je suis pareil à eux. Mon cœur bat dans le noir. La vie s'attriste de ne pouvoir nous atteindre que rarement. Elle est avec nous comme une mère qui donnerait son cœur à manger à ses enfants, et ses enfants ne voudraient pas goûter à cette nourriture sublime, ils ne voudraient même pas en entendre parler. L'éclat des primevères, pour m'arriver, avait dû déchirer la nuit qui entoure mon cœur. Je tiens pour un miracle de voir des choses très pauvres. Je ne me lasse pas de ces miracles et suis bien incapable d'expliquer pourquoi parfois il n'y a rien, pourquoi parfois il y a tout. Le paradis, ce serait de vivre une journée entière comme une seule de ces primevères.

Quand on perd quelque chose de matériel, au même moment, une pièce en or tombe dans la tirelire de la Pauvreté.

Chaque journée qui passe est comme une fleur qui s'ouvre à la lumière dans un mouvement très lent, insaisissable à l'œil nu. Quand une journée touche à sa fin, je me demande comment j'ai bien pu la remplir. Des visages, des paroles, oui il y a eu tout cela, mais c'est comme s'il n'y avait rien eu, que de la lumière et le même vide que l'on voit en été dans le cœur grand ouvert des roses rouges.

J'ai trouvé Dieu dans les flaques d'eau, dans le parfum du chèvrefeuille, dans la pureté de certains livres et même chez des athées. Je ne l'ai presque jamais trouvé chez ceux dont le métier est d'en parler.

Les statues du musée Rodin, à Paris, exhibent leurs muscles sur le parquet ciré d'une vieille demeure et devant les arbres du jardin. Les mains des touristes caressent les fesses de bronze et leur donnent un brillant que rehausse la lumière d'automne. Au-delà de son sujet apparent, chaque statue exprime la brutale confiance en soi du sculpteur et son orgueilleuse croyance dans les puissances de l'art. Accaparant tout l'espace, elles font de l'éternité une salle de musculation. Et puis il y a une pièce, une seule, accordée à l'œuvre de Camille Claudel, comme une chambre à part. Elle n'aura guère eu plus de place dans la vie de Rodin. Ses statues dansent, brûlent et appellent. Leur matière frémit comme un voile imperceptiblement soulevé par une respiration légère. Le buste de « la petite châtelaine », à lui seul, recueille ce que l'enfance a de plus déchirant. On lit sur ce visage une innocence qui pressent qu'elle sera trahie et rassemble ses forces avant de recevoir le coup fatal. C'est ce que dit cette œuvre dont la grandeur ne doit rien au monde ni à l'art — tout à un Dieu désespérant de jamais pouvoir nous atteindre.

Les bourgeons du tilleul se sont ouverts et les premières feuilles en sortent, petites et chiffonnées comme des mouchoirs d'enfant tirés du fond d'une poche.

La petite M., trois ans, se promenait avec moi dans un musée que les figures de Giacometti hantaient, campées sur la montagne de leurs âmes ascétiques et fraternelles. Il y avait là la statue de « l'homme qui marche ». Dès qu'elle l'a vue, la petite M. s'est précipitée vers elle comme vers un ami et, agrippant les talons de l'homme, elle a embrassé ses jambes, faisant vaciller la statue sur son socle. Ce qui réjouit les enfants doit passer au plus vite par leurs bouches et leurs mains. La beauté qui, entre elle et nous, impose une distance infranchissable, pour eux appelle et invite. L'essentiel, ils ne le contemplent pas, ils le volent sans trop d'égards — comme lorsqu'ils cueillent une pâquerette au ras de la fleur, en abandonnant la tige.

Il manque à la plupart des intellectuels cette intelligence qui ne se satisfait de rien et ne trouve nulle part de repos, s'échappant comme le sang d'une blessure ou le parfum d'une rose.

Rien ne préserve mieux la fraîcheur de la vie que le calme d'un cœur brûlant.

Cet industriel, prenant ma courtoisie pour un intérêt passionné pour son métier, entreprit de me révéler les secrets de la fabrication du ciment à bulles. Je n'osai pas l'interrompre et, au bout d'un quart d'heure, je ne savais plus qui j'étais ni qui était ce monsieur qui me racontait des choses splendidement indifférentes à nos deux âmes. Je ne cherchais plus qu'à étrangler le fou rire qui montait dans ma gorge, avant qu'il fasse exploser mon visage. Cette expérience que chacun peut faire est étrange : la vie est d'une brièveté affolante et nous perdons beaucoup de temps à l'enterrer sous prétexte de ne pas fâcher des gens dont, au fond, l'estime ne nous importe pas.

Ils prétendent vouloir la vérité et, si vous commencez à la leur dire avec douceur et bienveillance, ils vous tuent.

H. n'a passé que deux heures de sa vie dans une garderie d'enfants. Elle avait quatre ans. Elle y est entrée comme un agneau à l'abattoir. Son visage à l'arrivée était aussi fermé que le manteau qu'elle portait. Quand on est venu la rechercher, elle n'avait pas fait un seul pas, pas prononcé un seul mot et n'avait permis à personne de lui enlever son manteau ou d'en défaire un seul bouton. Parfois un enfant entre dans une résistance absolue à toute vie sociale — et parfois, dans cette lutte entre son cœur et le mensonge dans lequel les gens, très tôt, pour éviter de trop souffrir, noient leurs âmes uniques, le petit guerrier triomphe. J'ai connu une épreuve semblable en entrant dans une école qui n'avait de maternelle que le nom. Si j'ai hurlé pendant quinze jours, ce n'était pas tant d'être obligé de quitter ma mère que de l'effroi de ne rien comprendre à ce qui réjouissait les enfants de mon âge. Seul dans ma chambre, je regardais s'entrechoquer les atomes du visible et de l'invisible, et je rêvais sur les énigmes d'une vie dont j'ignorais encore que sa mortalité était sa plus sûre beauté. Dans la cour d'école, je ne retrouvais rien de l'infini et mes songes étaient mis à la diète. J'ai appris depuis ce temps à reconnaître les guerriers de quatre ans, même quand ils ont grandi : leur âme est restée vive, donnant un éclat à leur regard et un tranchant à leur parole. Je les aime pour n'avoir pas voulu de cette torpeur à laquelle la plupart des gens s'accoutument et que seule leur mort viendra rompre, aussi aisément que des ciseaux éventrant un oreiller.

L'exubérante floraison du magnolia dans les derniers jours de mars est ce qui ressemble le plus au cœur des saintes.

Quand, bien imprudemment, je parle de Dieu, je ne parle que de ce côté de la vie où je suis, et plus précisément d'une part de cette vie qui est abandonnée et semblable à une remise à outils dans le fond d'un jardin. Dieu ne se tient pas dans la maison du maître. Il s'abrite dans cette cabane faite de planches assez mal ajustées pour que l'aile d'une lumière s'y faufile. Bien que je ne sache rien de lui, il m'est impossible de faire comme s'il était étranger à nos journées les plus banales. Ces journées sont des livres et ces livres sont écrits par lui. Visage, douleur et bonté en sont les pages les plus richement enluminées, ainsi que rosier, moineau et primevère. Je ne sais ce qui empêche le plus les hommes de lire : leur avidité ou leur inattention. Leur avidité naît de leur inattention. Quand on regarde hâtivement une chose belle — et toutes les choses vivantes sont belles parce qu'elles portent en elles le secret de leur prochaine disparition — on a envie de la prendre pour soi. Quand on la contemple avec la lenteur qu'elle mérite, qu'elle appelle et qui la protège un instant de sa fin, alors elle s'illumine et on n'a plus envie de la posséder : la gratitude est le seul sentiment qui réponde à cette clarté qui entre en nous. C'est pour cette raison que le visage des morts, brillant dans nos cœurs comme une image dans l'ovale d'un médaillon, est la plus belle nourriture qui soit pour la pensée : nous savons bien que les morts sont hors de notre portée. Notre pensée, quand elle s'élève vers eux comme le tournesol vers un soleil étrange, est absolument dépourvue d'avidité et rien ne la gêne dans son travail d'adoration. L'amour des morts est le plus lumineux qui soit. Pourquoi n'aimerions-nous pas les vivants comme nous aimons, avec une justesse instinctive, ceux dont la voix ne se fera plus jamais entendre sur terre ? Contempler sans saisir et même sans comprendre : les moineaux, autant que les morts, nous y invitent par leurs chants. Il y a sous ma fenêtre, dans les bras innombrables du tilleul, une multitude de Bach et de Schubert dont les œuvres non écrites m'instruisent sur ce qu'est Dieu, du côté de la vie où je suis. Pour connaître l'autre côté, il me faudra, un jour, écarter le rideau de mon sang qui m'empêche de voir.

Mon père à table buvait de l'eau plus que du vin.
Cette eau venait du robinet. Elle était versée par ma
mère dans un pot de grès, disposé ensuite à côté de
l'assiette de mon père. Ce pot, couleur de sable,
contenait de quoi remplir deux verres. Sa taille était
si réduite que l'on eût pu jouer avec à la dînette. Un
an et demi après la mort de mon père, le petit pot
de grès est toujours dans la cuisine. Il ne vient plus
que rarement sur la toile cirée de la table et
demeure la plupart du temps sur le rebord de
l'évier, brillant dans la lumière des jours qui passent. Que quelqu'un quelque part s'absente —
pour un travail de longue haleine ou pour une mort
qui est le plus absorbant des travaux — et un objet
témoignera pour lui en son absence, comme fait
dans un tableau de Van Gogh une paire de souliers
fatigués, luisant au seuil d'une ferme. J'ai toujours

un léger coup au cœur quand je regarde ce petit pot hier rempli d'eau, aujourd'hui rempli d'ombre. Je ne sais rien de plus doux que ces coups portés au cœur comme à une porte. Ils n'y font pas entrer la détresse ni la mélancolie, juste une paix minuscule — comme celle de sentir se poser sur sa main nue la patte d'un chat dont les griffes sont rentrées à l'intérieur d'un coussinet de velours gris.

L'ennui prépare l'émerveillement, comme on déploie une nappe blanche sur la table, les jours de fête.

J., que beaucoup appelaient « mademoiselle » alors qu'elle avait déjà soixante ans, travaillait comme bibliothécaire dans un centre culturel, recouvrant de plastique de lourds livres d'art qu'aucun lecteur ne venait emprunter. Ses goûts, son humour et les teintes de ses robes : tout en elle semblait fragile et quelque peu désuet comme une aquarelle où la couleur rose eût dominé. Une douceur et une bien-veillance cernaient les yeux de celle qui, parce qu'elle n'avait jamais causé de mal, aura traversé cette vie sur la pointe des pieds sans que nul ne la voie, sa mort ne faisant pas plus de bruit que de la neige tombant sur de la neige. Peut-être le monde est-il continuellement sauvé de l'anéantissement auquel il tend par de tels êtres que personne, jamais, ne remarque.

Nous nous faisons beaucoup de tort les uns aux autres et puis un jour nous mourons.

Dieu se repose à Marciac, dans le Gers. Sans doute a-t-il longtemps cherché un tel village où tout serait à sa juste place — le ciel, les arbres, les pierres et les gens. Le cœur en est une place rectangulaire battue de lumière et ceinturée par des arcades où la fraîcheur et l'ombre circulent comme des petites filles faisant la ronde. Les bâtiments qui entourent la place ressemblent aux vignettes d'un de ces livres où, en même temps que la lecture, les enfants apprennent ce qu'est le travail d'un boulanger ou d'un maire. Les pierres sont peintes en ocre et jaune safran. L'église se tient un peu en retrait comme une mère retient parfois son souffle devant la grâce vivante de ses petits. Elle converse, dans la rue Saint-Jean et dans la rue Notre-Dame qui la bordent, avec deux magnolias géants dont l'explosion silencieuse libère un feu blanc. Tout dans ce village est mesuré et comme issu d'une pensée géniale, chaque espace contenant et réfléchissant les autres espaces, ce qui fait que l'infini peut s'y déployer sans jamais tourner au désordre. Les rues s'en vont dans la campagne comme à un bal. À une extrémité du village un cimetière médite, épris de la même harmonie qui règne sur la place et proposant aux visiteurs des merveilles ingénues : des roses artificielles dont les pétales brillent comme une chair sous la rosée, le nom d'un mort en lettres d'or sur une plaque verticale, recopié à l'envers par les anges sur une dalle humide. À une autre fin du village, une rue s'élève sous un triomphe d'arbres joignant leurs feuillages, jusqu'à une chapelle. Une Vierge au nez cassé y porte un enfant dans ses bras. Aux beaux jours les papillons par centaines viennent sur cette colline livrer des tournois en son honneur. On peut embrasser le village de Marciac en quelques minutes comme on peut l'épouser pour des siècles. C'est sans étonnement — plutôt comme une confirmation de la vérité de ce lieu — que j'y ai aussi rencontré le mal : tout doit trouver sa place sur terre, même la noirceur du cœur humain. Le mal avait les traits d'un couple possédant sept ou huit maisons dans le village. Ils ne parlaient que d'elles, pour se plaindre des tracas qu'elles leur donnaient. Ils en vendaient certaines, en rachetaient d'autres ou les louaient. Dans leurs paroles, ces maisons ressemblaient à des tirelires géantes qu'ils secouaient pour entendre le bruit de leur argent à l'intérieur. Je les écoutais, sachant une autre part de leur histoire : l'oncle de la femme du couple était un boulanger. Un chagrin d'amour l'avait conduit à fermer son magasin et à tout lâcher de ce qui donne à un homme une importance à ses yeux et aux yeux des autres. En quelques jours il avait tout quitté, sauf son cœur. Son cœur a pris la place de tout : pendant des années cet homme a, de sa démarche de boiteux, irradié de bonté les rues de ce village qui lui ressemblait tant, humble devant chacun et rendant service à tous. Le couple l'a pris en secrète haine, car personne ne flaire la sainteté aussi vite que le diable. Ils l'ont mis au service de leur famille, le prenant comme chauffeur pour les conduire à l'église le dimanche, à cent mètres de leur maison. Là-bas, ils s'asseyaient au premier rang, face au maître-autel et au prêtre qui n'était sans doute à leurs yeux qu'un notable désargenté. Quant à leur chauffeur, il avait droit à une petite chaise de paille tout au fond de l'église. Les années passaient, qui n'apprennent rien aux imbéciles ni aux méchants. Ils continuaient d'abuser de l'innocence de cet homme, raillant sa gaucherie, méprisant sa pauvreté et ne lui donnant jamais rien qui aurait pu adoucir sa vie matérielle. À sa mort, ils l'ont jeté dans le caveau familial, sans faire inscrire son nom à côté des autres, sur la tombe. J'écoutais ces gens dans leur demeure lourdement décorée et envahie par une odeur de cire. Je regrettais de n'avoir pu connaître ce juste quand j'ai tout d'un coup compris qu'il était partout dans l'air et l'ordonnance féerique de ce village qui me montrait son âme aussi sûrement qu'une photographie. Ces gens mourront du mépris qui recouvre leur cœur comme une cire. Jamais ils ne feront graver le nom de celui qu'ils ont persécuté sur la tombe où il repose. Il s'appelait Maurice et, si Dieu se plaît à Marciac, il y est pour beaucoup.

La plupart perdent leur âme quand ils entrent dans le monde, aussi facilement qu'on perd un livre dans un déménagement.

Le moineau méditait sur une branche du tilleul, ses ailes bien serrées contre ses flancs comme lorsqu'on arrive en avance à un rendez-vous et que, pour se donner une contenance ou pour affermir son cœur, on croise les bras en regardant vers les lointains d'où peut venir l'inespéré. Puis, avec une rapidité fulgurante, il s'est arraché à sa contemplation, a filé sur un chemin d'air tout en montées et descentes, remis dans la vie proche par la nécessité d'y trouver sa nourriture et gardant quand même, dans la grâce inutile de ses piqués et de ses détours, quelque chose de l'amour songeur des lointains.

Sagesse des contes où il faut se garder de pousser une porte interdite ou de goûter à un fruit trop rouge : il y a des gestes apparemment sans importance qu'il ne faut surtout pas faire, sous peine d'y perdre plus que la vie.

Assis derrière une table tendue de vert, appuyant ma tête lasse sur mes deux poings fermés, j'écoutais cet homme vanter à l'assistance les merveilles de la science. Il parlait des noces de la médecine et de l'informatique avec, dans les yeux, la candeur éblouie d'une jeune fille après son tout premier baiser. Un de ses collègues l'approuvait en silence, hochant gravement la tête. Celui-là s'était bâti une renommée dans l'étude du mobilier contemporain. Le moment venu il prendrait la parole pour célébrer les noces de l'ébénisterie et de l'informatique. Un rayon de soleil venait parfois se fracasser sur le parquet ciré du grand salon, me distrayant une seconde de ma langueur salariée. Il y avait dans ces colloques qui revenaient à peu près tous les deux mois toutes sortes de gens exaltés par une seule petite chose pour laquelle ils avaient, pendant des dizaines d'années, dépensé toute leur intelligence. Ce travail qui a duré dix ans m'a beaucoup appris sur la misère de ceux qui savent quelque chose et tirent vanité de ce savoir. Aujourd'hui il ne m'en reste rien, juste le souvenir de quelques visages qui, bien incapables d'entrer dans mon cœur, se fanaient dès que je les regardais, assis derrière une table tendue de vert et appuyant ma tête lasse sur mes deux poings fermés, dans l'attente d'une parole imprévue et vivante dont je n'ai jamais, même dans ces lieux d'où elle était bannie, désespéré.

Il y a ce matin sur les arbres, les murs et dans le ciel, une lumière si tendre qu'elle semble s'adresser aux morts plus qu'à nous — à moins que ce ne soient les morts qui nous l'envoient, comme on écrit une lettre rassurante à des parents un peu inquiets.

En sortant du centre de rééducation, je portais l'enfant dans mes bras. J'ai croisé une vieille femme dans un fauteuil roulant. Son visage s'est éclairé à la vue du nourrisson. Je me suis penché vers elle pour le lui présenter. Les deux se sont dévisagés un instant — celui qui n'était pas encore tout à fait dans le monde, et celle qui n'y était plus complètement. La femme avait un visage merveilleusement ridé, semblable à l'écorce d'un arbre séculaire. Devant la perfection de ces deux présences, je ne comprenais plus pourquoi cette société veut à tout prix que nous restions indéfiniment jeunes, éloignés de ces deux lumières de la naissance et du grand âge, cloués au milieu.

Une tourterelle, longtemps immobile et songeuse sur une branche du tilleul, s'envole brusquement, comme saisie par une pensée si belle qu'il lui faut tout de suite aller la dire à son ami.

On n'a qu'une faible idée de l'amour tant qu'on n'a pas atteint ce point où il est pur, c'est-à-dire non mélangé de demande, de plainte ou d'imagination.

Les Sables-d'Olonne ne sont certes pas la plus belle fenêtre ouverte jour et nuit sur l'océan : l'argent y rôde, celui que viennent dépenser les touristes travaillant à s'amuser, et celui qu'engrangent les agents immobiliers, désireux de remplir leurs poches à proportion du vide de leurs âmes. Mais peu importe. L'hiver mettait du calme là-dessus et, sur la plage, j'ai été saisi par la rumeur océane comme si un être cher avait soudain pris mon cœur dans sa main. Ce bruit assourdi des vagues, par sa reprise indéfinie et la paix qu'il brassait dans l'air, tenait à la fois du chant grégorien et de la comptine d'enfant. À l'entendre, j'étais aussi bouleversé que si j'avais reconnu la voix de ceux que j'ai un jour aimés et qui ne sont plus. Une coutume veut que les vivants lavent les morts avant de se séparer de leurs dépouilles. J'ai vu et entendu, clairement vu et clairement entendu que, par l'océan, les morts s'approchaient sans fin de nous avec une extrême délicatesse, comme s'ils éprouvaient le besoin de venir laver les vivants — et Dieu sait si les vivants ont besoin d'être lavés.

Je cherche la plénitude d'une vie si limpide que rien ne pourrait la troubler, pas même la vue de ce monde mort. Si je cherche une telle chose, c'est parce que je l'ai déjà entrevue dans l'enfance et plus tard dans cette vie garrottée que l'on dit « adulte ». Le cœur de G. montait souvent à son visage et c'était alors aussi bon de la voir que d'assister, enfant, à la danse des flocons de neige dans la nuit de Noël. Une parole bienveillante de mon père balayait tous les obstacles imaginables entre mon cœur et la vie. La brise traversant une haie de chèvrefeuille en faisait entrer le parfum dans mon âme. Une phrase dansait sur la page d'un livre comme une baguette sur la peau d'un tambour. H. sur un petit cheval blanc caracolait dans un pré en poussant des cris de joie guerriers. Les fougères de la forêt de Saint-Sernin, en automne, revêtaient des robes chaque jour plus luxueuses comme si elles s'apprêtaient à se rendre à un bal donné par un prince. Une lettre de L. irradiait d'une intelligence plus sûre que tous les songes des mystiques. Un chat ombrageux s'allongeait sur un drap de lumière déployé par le soleil sur le carrelage d'une cuisine, et Thérèse d'Avila m'entretenait de l'invisible avec une voix forte, comme si elle me parlait d'une pièce à côté : ces étincelles un jour entrevues, trop nombreuses pour les écrire toutes et trop fugaces pour me suffire, m'ont donné le goût de chercher le feu qui les engendrait et ce goût ne m'est jamais passé, plutôt s'est-il accru en même temps que le froid envahissait ce monde et ses images fausses.

Les orgueilleux m'ont appris l'humilité, les impatients m'ont appris la lenteur, les pervers m'ont appris la droiture et, quant aux rares qui avaient une âme simple, ils m'ont appris à lire dans leur cœur les énigmes de l'univers visible et invisible aussi facilement qu'un nouveau-né lit sur le visage de sa mère.

Les pattes avant appuyées sur la vitre, le chat regardait les feuilles du tilleul s'envoler par brassées, arrachées par un vent impatient. Par mes yeux je voyais ces feuilles jaunes danser sur un fond de ciel gris comme les flocons géants d'une neige dorée, et par les yeux du chat je les contemplais comme des oiseaux chahuteurs et inaccessibles — les deux vues entrant dans mon cœur en même temps pour y porter la même lumière poignante et douce.

J'écris pour me quitter, aussi pour inventer une maison pour les vivants, avec une chambre d'amis pour les morts.

J'ai vu un jour ce qu'on ne voit jamais. J'ai vu quelqu'un mourir d'amour. C'était dans un café, un automne à Paris. La jeune femme qui me parlait venait d'être abandonnée par un homme au cœur d'or. Ils avaient partagé le pain de dix années entières. Il l'a quittée comme on cesse de lire un livre, gagné en une seconde par un sommeil analphabète. Un geste avait suffi que rien n'annonçait et cette jeune femme s'était découverte aussi vaine qu'un livre jeté sur le parquet d'une chambre. Depuis elle allait comme un fantôme dans les rues surpeuplées de visages inutiles. Le couteau de la séparation s'était enfoncé dans son cœur et le manche en bougeait à chaque respiration. Elle ne maudissait ni ne geignait. Elle cherchait à comprendre ce que même les anges, affolés autour d'elle comme des abeilles ayant perdu le chemin de la ruche, ne pouvaient comprendre. Elle ne savait plus que parler de son ami, aucun mot n'étant trop beau pour dire sa grandeur et son intelligence. Il était dans sa parole comme la neige en plein été, quand il semble qu'une telle magie blanche ne reviendra plus. Le monde où nous vivons est enchanté par l'amour et sans cet enchantement nous n'y séjournerions pas une seconde. Nous sommes jetés dès notre naissance dans un réduit où nous ne pourrions que dépérir, s'il n'y avait la lucarne du cœur donnant sur le ciel. Il n'y a que le cœur de réel dans cette vie, alors pourquoi nous entêtons-nous à rêver d'autre chose ? Les vagues sentimentalités par lesquelles les gens se réchauffent les uns aux autres sont comme les brindilles qui servent à allumer un feu : cela brûle et meurt aussitôt. La flambée qui donnait aux visages de cette femme et de son ami le rouge et or d'une peinture de Georges de La Tour se nourrissait d'un aliment bien plus beau. Dieu se promenait émerveillé dans leurs paroles comme un paysan dans son champ. Si Dieu n'est pas dans nos histoires d'amour, alors nos histoires ternissent, s'effritent et s'effondrent. Il n'est pas essentiel que Dieu soit nommé. Il n'est même pas indispensable que son nom soit connu de ceux qui s'aiment : il suffit qu'ils se soient rencontrés dans le ciel, sur cette terre. Cette femme avait connu cette grâce, et cette grâce lui était retirée. Dans le café où je l'écoutais ce jour-là, elle parlait du ciel et de son ami, de leur fuite commune, et sa parole était comme deux mains plaquées contre une plaie par où la lumière giclait à flots. La salle où nous étions assis était atroce de même que la ville alentour, énervée et bruyante — comme si on avait mis une musique criarde dans une chambre d'agonie. Si nous ne respirons plus dans le ciel, alors nous suffoquons dans le néant : c'est aussi simple et net.

Nous devrions rendre grâce aux animaux pour leur innocence fabuleuse et leur savoir gré de poser sur nous la douceur de leurs yeux inquiets sans jamais nous condamner.

R. est depuis des années au bras de son amertume comme au bras d'un mari épouvantable qu'elle promènerait partout dans le monde en suppliant qu'on l'en débarrasse et en priant en secret pour que cette séparation n'ait jamais lieu. Il est difficile pour son entourage de résister à cette parole désenchantée et à ses yeux mornes. Certains êtres ont le génie d'éteindre une à une les étoiles dans le ciel puis, se tournant vers leurs proches, de conclure d'une voix douce de victime : vous voyez, j'avais raison. Il n'y a jamais rien à espérer, seulement la nuit entière et noire, noire, noire.

L'amour de certaines mères est comme une corde passée au cou de l'enfant : au moindre mouvement de celui-ci vers la vie, le nœud coulant se resserre.

Une lignée de hêtres, le long de la route qui traversait la forêt de Saint-Sernin, écoutait les dernières recommandations de la lumière juste avant l'arrivée de la nuit.

H., toute petite, me disait : « Ne regarde pas, ouvre ta main et referme-la. » Je ne regardais pas, j'ouvrais ma main puis je la refermais et je sursautais, sentant la vibration des hannetons à l'intérieur de mon poing. H. devant ma surprise éclatait de rire. Aucune musique ne m'a jamais autant charmé que ce concert improvisé où le rire d'une petite fille accompagnait le bourdonnement des hannetons, vibrant à travers ma main comme des petits violons tsiganes joués par des fous.

Il y a peu de joies dans ce monde qui ne soient secrètement teintées de mélancolie et c'est une joie sans défaut que de découvrir une âme pure. Ce sont des âmes qui ressemblent aux premiers livres pour enfants : elles contiennent aussi peu de mots et sont aussi coloriées.

Quinze secondes de pureté par-ci, dix autres secondes par-là : avec un peu de chance il y aura eu dans ma vie, quand je la quitterai, assez de pureté pour faire une heure.

Je ne crois plus à l'amour parce que je ne crois qu'à l'amour.

Pas de joie plus violente que de trouver une âme pure : on voudrait mourir sur-le-champ.

Dieu est plus facile à tuer qu'un moineau et son cœur plus aisé à déchirer qu'une feuille de papier — même les enfants le savent.

J'ai six ans. Je suis en vacances dans un village de la Bresse où mes parents viennent depuis plusieurs années. Mon père aide souvent les paysans pour la moisson. Pendant mon absence, un jour, je tourmente ma mère. Quand mon père arrive à vélo devant la maison, elle lui fait part de son irritation. Il me regarde et me dit : je ne suis pas du tout content de toi. Puisque c'est comme ça je m'en vais et je ne reviendrai pas. Il enfourche son vélo et s'éloigne sur la route qui, à l'horizon, ondule sous la chaleur. Je me sens alors plus bas qu'aux enfers : par ma faute je ne reverrai plus jamais mon père. Après quelques minutes passées dans les flammes, je trouve une solution, la seule qui soit à la hauteur de ma faute et puisse la réparer : m'engouffrer dans l'église proche et prier pour le retour de mon père. Je prends le chemin du salut. Il est encombré par un troupeau d'oies aussi hautes que moi qui me harcèlent et pincent mes jambes sans arrêter ma course. Mon père revient une heure plus tard et je devine très vite que mes prières ne sont pour rien dans ce retour. Quarante ans plus tard, demeure le charme des églises de campagne et du soleil caressant le battoir en fer forgé de leurs lourdes portes en chêne. Demeure aussi la douceur d'avoir un jour prié pour un vivant.

J'ai placé le vase rempli de roses jaunes sur le sol, devant la fenêtre basse, pour donner à boire à la lumière.

Au tribunal de Chalon-sur-Saône, à l'étage où sont jugés les divorces, les gens attendent dans un couloir long et étroit. Un banc de bois court le long d'un mur tandis que sur le mur d'en face il n'y a qu'une lumière sale, une couleur autrefois brune, aujourd'hui grise, comme si ce mur était imprégné de la haine et de la détresse de ceux qui attendent, têtes baissées, l'heure d'entrer dans le bureau du juge, précédés par leurs avocats aux robes noires et tournoyantes. Les âmes sont plus amples que les corps et elles laissent aux lieux où nous passons, comme si elles s'y frottaient, un peu de leur substance. Au tribunal de Chalon-sur-Saône les âmes attendent dans un enfer long et étroit, et leur suée tache le mur d'en face, aussi inexorablement que l'humidité.

On ne peut bien voir qu'à condition de ne pas chercher son intérêt dans ce qu'on voit.

Rien ne distingue cette vie des contes dont les enfants aiment tant la frayeur qu'ils leur donnent.

C. est un des écrivains les plus tristes que je connaisse. Il a enfoui sa douleur au fond de lui puis s'est éloigné de ce fond, comme on oublie l'endroit du jardin où l'on a mis en terre un oiseau mort. Il a ensuite pris le masque des écrivains qu'il admirait. Il a imité leur mouvement et poursuivi leurs songes. Une grandeur lui est venue dont la fausseté est indécelable. Il parle de vérité avec une voix secrètement fêlée. S'il ment, c'est sans connaître son mensonge. Un oiseau mort au loin pourrit. Il suffirait de retrouver la tombe et d'ouvrir la boîte où il repose pour qu'il s'envole. Mais comment retrouver ce qu'on ignore avoir perdu ?

Au marché une vieille femme proposait des fleurs de son jardin. Leurs couleurs étaient si fraîches que, mises à leurs côtés, les fleurs des fleuristes auraient ressemblé à des femmes un peu vulgaires et grassement maquillées, affolées par le désir de plaire. À midi la vieille femme a compté ses sous puis elle est remontée au paradis où elle possédait un peu de terre.

Leurs cris enjoués m'ont attiré vers la fenêtre du salon. Ils étaient quatre, ils avaient treize ou quatorze ans. Ils tenaient des raquettes de tennis dans leurs mains et se lançaient en riant une corneille morte, comme une grosse balle de chiffon noir. Cela n'a duré qu'une dizaine de secondes puis ils se sont lassés de leur jeu et sont partis, parlant fort et riant aux éclats, comme des bourreaux ivres du mal accompli. La corneille gisait sur le sol, ses ailes dépliées, aussi misérable que le Christ après qu'il eut rendu son âme sur la croix et bien plus abandonnée que lui. Une pluie passante a eu pour elle des douceurs maternelles, caressant et lavant son plumage. Elle reposait à quelques mètres du tilleul dont la présence me ravit chaque jour davantage. Il m'a fallu du temps pour tenir ensemble, dans la même vision, ces deux images, celle de la petite martyre aux ailes luisantes comme une oriflamme jetée à terre, et celle de l'arbre sanctifié par la lumière, sans qu'une image efface l'autre ou la voile. Devant ce que la vie a de plus cruel, toutes les pensées parfois s'effondrent, privées d'appui, et il ne nous reste plus qu'à demander aux arbres qui tremblent sous le vent de nous apprendre cette compassion que le monde ignore.

Le théâtre c'est simple : tu t'assieds dans le noir et tu écoutes la lumière.

Dans cette ville comme dans toutes les villes du monde, il y a des notables, et ces notables ont des femmes qu'ils sortent et montrent comme un des signes de leur puissance, et ces femmes sont toutes endimanchées et fortement maquillées comme les morts que les employés des pompes funèbres veulent rendre présentables aux familles. Je les regarde, je vois qu'elles possèdent tout ce qui peut s'acheter, qu'elles s'ennuient et qu'elles ont une peur panique de vieillir. Elles doivent sans doute passer des heures devant leur miroir pour, avec le plâtre des fards, recouvrir les premières taches du temps. Elles pensent ainsi séduire et peut-être y parviennent-elles, mais c'est par leur misère qu'elles me touchent.

Les colliers de plastique coloré que C., petite fille, ramenait des fêtes foraines brillaient à son cou d'un éclat bien plus pur que des diamants dans la vitrine des bijoutiers.

La vérité est sur la terre comme un miroir brisé dont chaque éclat reflète la totalité du ciel.

Il y a toujours un instant où la parole d'un intellectuel, si savante soit-elle, m'apparaît comme un empilement de cubes coloriés portant sur leurs faces, imprimées en gros caractères, les lettres de l'alphabet. Je ne l'écoute plus alors, je me demande seulement quand la vie viendra taper du pied contre cette construction pour la faire s'effondrer, que se découvre enfin son architecte — l'enfant tyrannique et peureux, certain que, derrière sa muraille montant jusqu'au ciel, personne ne viendrait le chercher. C'est ainsi que m'apparaissait C. quand il me parlait de la mort en une langue précieuse, saturée par toutes les pensées de l'Orient et celles de l'Occident. La maladie vient de plonger une main dans sa gorge, il m'a écrit pour m'en informer et me dit simplement qu'il tremble : tous ses cubes se sont effondrés, il n'en a plus à sa disposition et je le découvre, bien que menacé, pour la première fois, vivant.

L. a tellement souffert que son cœur est devenu aussi limpide qu'une parole du Christ.

Quelque chose vient à tout instant nous secourir.

L'histoire des cadeaux qu'on nous fait est comme la chronique des malentendus qui se sont glissés entre ceux qui donnent et celui qui reçoit. Défaites le papier et vous trouverez une parole. Le plus beau présent que j'aie jamais reçu lors d'un anniversaire m'a été fait par mon père. Il avait commandé sans m'en avertir un exemplaire relié en cuir des œuvres complètes de Rimbaud, chez un éditeur dont il avait trouvé l'annonce dans le journal. L'œuvre de Rimbaud a le lustre de ces arbres dont chaque feuille semble teintée par le vert de l'Islam et elle exhale ce parfum de l'herbe fraîchement coupée qui monte jusqu'au ciel pour enivrer les anges et leur donner le regret de n'être pas mortels. Ici et là, dans ces écrits, gît une rose de jardin abattue par un vent de sable, resserrée autour de l'avant-dernière parole du Christ sur la croix : « J'ai soif. » Si vous voulez comprendre qui est Rimbaud, sortez, marchez et regardez comme pour la première fois cette folie qu'on appelle le printemps et qui ne doit rien aux puissances obscures, mais n'est qu'un soulèvement énorme de toutes vies vers la lumière surnaturelle. Telle était la merveille que mon père avait voulue pour moi : une boîte à musique oubliée par Dieu lors d'un récent séjour sur terre, tapissée de cuir et enrichie à l'or fin. Peut-être ne donne-t-on rien si on ne donne pas son cœur : la plus grande merveille arriva par la voix de mon père à l'instant où il me tendait le paquet, une voix intimidée et incertaine des mots qu'elle portait : « J'ai pensé que ce livre de Rimbaud te ferait plaisir. C'est bien lui, le poète maudit ? » Les commentateurs se sont abattus comme des sauterelles sur le blé des phrases de Rimbaud. La parole de mon père, naïve et timide, balayait d'un seul coup toute cette poussière savante et c'était le premier printemps du monde que je recevais de ses mains. Le livre est là dans ma bibliothèque. Chaque fois que je le regarde, j'entends la voix de mon père et la splendide innocence avec laquelle, un jour, il m'a offert une cascade de diamants bruts.

Je n'aime que les écritures dont l'auteur a été arraché au monde, pour quelque raison que ce soit : une douleur infinie, une joie sans cause ou simplement le sentiment d'être un étranger sur la terre.

Ma sœur m'apprend qu'à l'âge de deux ans, armé d'un marteau, j'avais entrepris de faire un trou dans le mur de ma chambre. Mon frère présent à cette conversation atteste de la vérité du fait. Nous en rions tous les trois et le bruit du rire fait s'enfuir une pensée qui me revient un peu plus tard, dans la solitude retrouvée de l'appartement : je n'ai pas renoncé un seul instant à ouvrir une brèche dans le mur du monde même si, depuis l'enfance, j'ai changé d'instrument, la parole et l'écriture s'avérant plus efficaces qu'un marteau.

S., réputé pour la profondeur de ses livres, quand il rendait visite à des amis à la campagne, demandait à s'asseoir sur une des chaises tournant le dos à la fenêtre : « je ne supporte pas la vue d'un arbre », disait-il, et cette parole révélait, mieux que la lecture harassante de son œuvre, la maladie qui logeait dans son esprit, comme le ver dans le fruit.

Une feuille morte, poussée par le vent, court autour de ses sœurs rassemblées en cercle dans l'angle d'un mur, comme une petite fille jouant à la chandelle dans une cour d'école.

On peut, dans cette quincaillerie ancienne du centre-ville, dépenser une fortune en appareils comme on peut y acheter pour dix centimes de clous, l'accueil est le même, affable. Le vendeur s'en va chercher le prix de l'objet demandé dans un registre épais comme un grimoire d'alchimiste : ses pages, crasseuses bien que protégées par du plastique, partent en lambeaux. Les références y sont imprimées en lettres minuscules, surchargées de notes ajoutées au crayon gras, telles des colonnes de fourmis portant leurs bagages sur le dos, lors d'un exode. Lorsque ce registre est ouvert sur le comptoir de zinc où la lumière du jour fait jaillir de discrètes étincelles, il me semble que, pour peu que le vendeur y lise à voix haute la bonne formule, une sorcière en sortira, portant robe de cuivre et cheveux de clous dorés.

I., quand il parle de lui, ne regarde pas son interlocuteur en face. Ses yeux s'enfuient de tous côtés comme une armée en déroute abandonnant à l'ennemi la dépouille d'une parole sans vérité.

J'ai trouvé dans les bois une jonquille solitaire, luisant comme une trompette de plastique jaune qu'un enfant aurait gagnée à une fête foraine et qu'il aurait ensuite — sous le coup d'une colère — plantée là.

La seule fois où j'ai douté de la parole de mon père c'est quand, devant la crèche de Noël qu'il avait bâtie lui-même — une grotte en plâtre bosselé, couverte de coton pour figurer la neige, placée sur un meuble dans l'entrée de la maison —, il a rassemblé ses enfants pour leur parler, avec une voix cérémonieuse, du « petit Jésus ». Il y avait quelque chose de gênant dans ces mots, comme s'ils mettaient dans la lumière ce qui ne supportait que la nuit. La vie quotidienne de mon père parlait suffisamment de Dieu sans qu'il soit besoin de le nommer. Expliciter ces choses ne peut que les affaiblir. Ce qui n'était chez mon père qu'une adorable maladresse et n'a eu lieu, me semble-t-il, qu'une seule fois, est une véritable infirmité chez les gens d'Église : chaque fois que j'entends un prêtre — en dehors de la messe — me parler de Dieu avec une voix veloutée, j'ai l'impression de me trouver devant quelqu'un qui prépare un mauvais coup et qui cherche à m'endormir avec des manières sucrées.

Entre le village du Breuil et la ville du Creusot, il n'y a rien : l'un finit où l'autre commence. Ce rien, nous mettions des heures à le franchir à vélo, les enfants et moi, certains samedis après-midi. Nous allions lentement sur la grande route, en file comme des canards, puis nous nous précipitions en désordre dans des rues maigres et peu fréquentées qui, parce qu'elles ne se souciaient pas de plaire à qui que ce soit, avaient un charme incomparable. Les enfants faisaient la course sur la place depuis longtemps oubliée par les beaux messieurs qui dans les mairies décident des rénovations. Un peu essoufflé par la balade, je les regardais, assis sur mon vélo calé contre un platane mal en point dont le tronc était creux. Les fenêtres des maisons pauvres, bordant la place, avaient des rideaux de dentelle qui parfois chuchotaient. Le ciel qui roulait au-dessus de ce quartier y prenait en passant de beaux reflets d'orties. Dieu qui est quelqu'un qui n'a aucune fortune devait aimer ce genre d'endroit, à coup sûr. Il pouvait s'y promener les soirs d'été sans risquer d'attirer l'attention sur lui. Au bout d'une heure ou deux je ramenais les enfants chez eux. Sur le chemin du retour nous nous arrêtions dans un café du quartier, fréquenté presque exclusivement par des chats et des vieillards. Jus d'orange pour les enfants, café pour moi et billard pour tous, tel était le programme. Quand à la fin du jour je rentrais chez moi, seul, j'avais au cœur une connaissance du paradis aussi profonde que celle des théologiens, ainsi qu'une pensée reconnaissante pour le platane qui, malgré ses soucis de santé, avait gentiment appuyé son épaule contre la mienne, ce jour-là.

Le vent visite chaque feuille du tilleul sans en oublier une seule, comme un pèlerin venu du bout du monde et entrant dans chaque maison d'un village pour donner sa bénédiction.

« Mademoiselle C., quatre ans, célibataire » : le notaire a lu cette phrase comme toutes celles qui la précédaient, sur un ton morne, sans éclairer sa voix par un sourire, insensible à cette fantaisie nichée dans l'arbre creux du langage administratif. Il était atteint par la maladie propre à ceux qui se confondent avec la place qu'ils tiennent dans la société : le sérieux fige leurs traits, la raideur gagne leur corps puis leur âme, ils sont devenus leur propre statue et plus rien ne les fera descendre de leur socle que leur mort.

Avec un peu plus de patience, j'aurais fait un assez bon idiot du village. C'est un métier que presque plus personne n'exerce : trop difficile, sans doute. Il est plus aisé de devenir médecin, ingénieur ou même écrivain. Plus aisé et plus gratifiant aux yeux du monde.

Une seconde avant de se poser sur la branche du tilleul, le moineau a étiré ses ailes au maximum, comme on ouvre grands les bras tout à la joie de revoir ceux qu'on aime.

Elle avait huit ans. Elle accompagnait son père dans l'épicerie où je travaillais pendant un été. Lui était un Arabe au regard doux et timide, vieilli prématurément par le travail en usine. Sa petite fille lui servait de traductrice, adoucissant ses déplacements dans un monde dont il ne connaissait pas la langue. Il y avait sur le visage de l'enfant tant d'intelligence et de bonté que son sourire, quand je lui ai rendu la monnaie, est aussitôt rentré en moi, s'ajoutant aux lumières qui, avec le temps, se déposent dans mon cœur comme une poussière d'or et m'aident à vivre sans craindre les obscurcissements parfois inévitables de la vie.

La pluie écrit comme un enfant couché sur sa page, en lignes obliques et lentes, appliquées.

J'ai aimé un rouge-gorge. Il me dévisageait, ses petites pattes solidement plantées sur une branche d'arbre. Un Dieu moqueur brillait dans ses yeux, semblant me dire : « Pourquoi cherches-tu à faire quelque chose de ta vie ? Elle est si belle quand elle ne fait qu'aller, insoucieuse des raisons, des projets et des idées. » Je n'ai pas su lui répondre.

Ce tableau en vente à la gare de Genève représentait une falaise, un ange et deux enfants — un garçon et une fille. La petite fille courait sur une pente herbue où les marguerites semblaient piquées à la machine à coudre. L'ange la retenait pour empêcher sa chute dans l'abîme, en pinçant un pan de sa robe entre deux de ses doigts. Le garçon ne voyait pas plus le danger que le salut. Le tableau était de fortes dimensions. Pour le tenir, il aurait fallu écarter les bras comme on déplie une carte routière, à la recherche du village où l'on désire aller. J'aurais à cet instant voulu aller dans le tableau et d'ailleurs j'y étais. Ce n'était certes pas de la grande peinture mais cela n'importe guère. J'attendrai ma mort et ce qui la suivra pour goûter à des scènes incontestablement « grandes ». Ici, de ce côté de la vie où il y a de l'herbe, des pentes, des

110

marguerites et des gouffres, je me fie plus volontiers aux petites choses. Si je n'ai pas acheté ce tableau, c'est peut-être parce que malgré le merveilleux il y flottait un air légèrement oppressant. Il est rare de rencontrer sur cette terre une beauté qui soit sans tache — mais expliquez-moi pourquoi, lorsque j'ai découvert que le tableau était reproduit en dix exemplaires, maladroitement cachés par le vendeur, mon émerveillement, loin d'en être blessé, s'en est trouvé accru ?

J'ai tremblé en écoutant la petite M., seize ans, dire rêveusement que tout ce qui était littéraire lui plaisait infiniment. Je la voyais faire ses premiers pas dans une forêt dont les arbres sont si serrés les uns contre les autres que la lumière n'y entre presque jamais.

De ma chambre d'enfant, je voyais D. se rendre à l'usine. Ma fenêtre découpait un espace théâtral avec un ciel de toile peinte en arrière-plan et, devant, un banc de jardin. D. traversait cette scène chaque début d'après-midi. Il partait de chez lui à l'heure où il aurait dû être au travail, comme si la tyrannie des horloges devant laquelle la plupart des adultes me paraissaient s'incliner n'avait aucune prise sur lui. Cette apparition me réjouissait autant que celles du théâtre de Guignol que les enfants commentent à grands cris et dont ils applaudissent, de leurs petites mains potelées, les plus aimables personnages.

Leur vraie vie, furieuse d'être depuis toujours laissée sans nourriture dans le noir, remonte parfois comme un serpent dans leur parole et crache le venin de quelques mots terribles, puis se replie aussitôt dans son antre.

J'ai tout misé sur un amour qui ne peut entrer dans ce monde même s'il en éclaire chaque détail.

Ce milliardaire américain bénissait Dieu avant chaque repas pour les bienfaits dont il avait comblé sa famille. Il croyait à un Dieu intéressé à nos succès et les favorisant. Il ne faisait que suivre la folie d'une époque où rien n'est adoré que la force. Il y a toujours eu des pauvres et des riches. Il y en aura toujours. La nouveauté de notre temps, c'est que les pauvres y sont tenus pour responsables de leur malheur et, comme tels, méprisés. Pendant des siècles on a pensé que Dieu se tenait, pâle et silencieux, auprès de ceux qui n'avaient aucun bien. Cette pensée donnait à la pauvreté une vibration d'icône. Elle l'illuminait comme une flamme placée derrière une fleur. Aujourd'hui on ne le pense plus et il n'y a plus de mot pour dire cette présence infatigable de l'amour. Dieu comme les pauvres est tombé dans l'oubli.

Ce n'est pas sa beauté, sa force et son esprit que j'aime chez une personne, mais l'intelligence du lien qu'elle a su nouer avec la vie.

O. recevait du courrier administratif qu'il jetait sans le lire au fond d'un puits devant sa maison, refusant de répondre à ce qui lui était demandé dans une langue que personne de vivant ne parle.

A. est un Gitan qui dirige un cirque lumineux comme une poignée d'herbes folles. Il a déjà plusieurs vies derrière lui et il en a encore beaucoup devant, mais l'ennui court jour et nuit dans ses yeux comme un renard. Cet ennui et son cœur ne font qu'un : le monde qu'il dévore à belles dents ne répond pas à sa faim et n'y répondra jamais. C'est le ciel qu'il veut et dont il se languit si joliment, jour après jour, multipliant ses affaires comme on joue aux cartes en se moquant des gains autant que des pertes.

F. n'aimait que les fleurs dont la couleur s'accordait à celle du canapé de son salon. Par ses exigences esthétiques, elle bâtissait un enfer chic où son mari, ses enfants et elle-même mouraient à petit feu, donnant alentour l'image d'une famille parfaite et d'une vie réussie, jusqu'à ce que son mari la quitte comme on saute par la fenêtre avant que l'incendie ne mange toute la maison.

Ce matin j'ai vu une tourterelle battre des ailes à l'instant où elle sortait des mains de Dieu.

Les vitrines des magasins de luxe à Paris — parfums, vêtements, chaussures — sont décorées de la même façon : un ou deux objets, pas plus, exposés aux regards des passants, et beaucoup de vide autour. On peut retrouver cet art du dépouillement dans les maisons bourgeoises et dans les appartements des intellectuels fortunés. Il ne suffit pas aux riches d'être riches. Il leur faut aussi voler à la pauvreté les signes du dénuement et à la sagesse les signes de l'austérité.

J'avais quatre ans. Ma mère me portait. Ses bras étaient ma première maison, celle que je croyais la plus sûre. Nous étions dans la salle à manger. La fenêtre ouverte donnait sur la rue où passait un cortège de gens costumés pour Mardi gras. Une tête énorme s'est penchée vers moi, un visage en carton de deux ou trois mètres de haut, couvert de peintures criardes. J'ai hurlé. Je venais de faire ma première expérience du monde : il est terrifiant même là où il essaie de divertir — peut-être là plus qu'ailleurs.

Elles se servent du ciel comme d'un miroir de poche.

Dans le vieux quartier de la ville de Genève, l'argent se repose d'avoir bien travaillé. Marcher d'un pas lent sur le pavé des rues qui montent et descendent n'est pas sans charme. Par instants, dans la clairière d'une petite place bénie par le feuillage d'un arbre, le silence monte comme un soleil. On ne se croirait plus dans une capitale, pas même dans un village. Le bruit a été laissé en bas, près du lac où le jet d'eau s'évertue à cracher sur le ciel, là où brillent d'un éclat assourdi les façades cinq étoiles et où les banquiers, tels des alchimistes modernes, travaillent le sang des pauvres pour en faire de l'or dont ils sertiront leurs montres ou qu'ils mettront au cou de leurs maîtresses. En haut, dans le vieux quartier où ronronnent les magasins d'antiquités, rien ne monte de cette agitation impure. Ici l'argent est entre soi. Les basses besognes ont été faites, il ne reste plus qu'à en savourer le fruit. Il y a des gens mais pas une seule âme, et les visages des passants que l'on croise sortent du même tailleur que leurs vêtements. Sans doute est-ce là le cœur du monde, son rêve réalisé de jouir du mal et d'exiler les misères disgracieuses qui pourraient l'assombrir. Le temple dont les colonnes s'élèvent dans l'air comme la parole d'un père meurtrier de ses enfants ferme ses portes à midi pile, à l'instant où L. et moi prétendions y entrer. Nul regret : nous en avions assez vu, et même le refus du pasteur était éloquent. Nul doute que nous aurions découvert dans ce lieu sacré un Dieu aussi inaccessible à la pitié et à l'amour que ce monde l'est à la vraie vie.

Le tilleul devant la fenêtre est le maître que je me suis choisi pour écrire et dont je sais d'avance que je ne pourrai l'égaler : même les plus grands écrivains n'ont jamais écrit avec autant de grâce que cet arbre inscrivant délicatement la lumière et l'ombre sur chacune de ses feuilles, et renouvelant son inspiration à chaque seconde.

L'incapacité de R. à parler de lui se voyait dans les piles de journaux qui envahissaient son appartement jusqu'à l'assombrir, s'entassant sur les chaises, les tables et les meubles comme autant de paroles noires et silencieusement pesantes. La détresse de J., elle, se lisait dans son jardin qu'elle délaissait et dont les herbes montaient, ensauvagées et suppliantes, jusqu'au ciel. Beaucoup ainsi exposent leur folie à leurs côtés, dans une chose ou dans un lieu, comme pour lui faire prendre l'air.

« J'ai tant besoin de silence lorsque j'écris que je ne supporte pas d'entendre ma femme ouvrir un tiroir dans la cuisine, et faire s'entrechoquer, même brièvement, deux petites cuillères », me disait J., me faisant ainsi comprendre d'où venait le silence qui régnait dans ses livres comme au fond d'une tombe.

Sur la route qui mène à Couches une buse veillait avec sévérité, campée sur le haut d'un poteau télégraphique comme la gardienne incorruptible d'un temple aux murailles d'air.

Je me promenais souvent dans la campagne avec H. quand elle était petite. Un jour elle a découvert dans un pré un champignon plus grand qu'elle. Ravie, elle l'a cueilli. Sur le chemin du retour, avant que j'aie eu le temps de l'en empêcher, elle en a soudain croqué un bout. J'ai craint que ce champignon ne soit empoisonné et j'en ai aussitôt mangé à mon tour un morceau. Ce geste n'était sans doute pas très sensé, mais cela a toujours été ma manière d'accompagner ceux que j'aime que d'épouser chacun de leurs mouvements, même les plus incertains.

Les petites fleurs de l'hortensia, dans la cour de la maison d'enfance, ressemblaient aux alvéoles d'un poumon qui, au lieu d'être roses, auraient été bleus. Elles remuaient faiblement sous le vent, comme la discrète respiration d'un autre monde que celui où l'on m'invitait à grandir.

L'air du temps est irrespirable, or nous continuons à respirer. Serions-nous déjà morts ?

Le diable sans aucun doute aime ce qui est fluide, rapide et lisse. Il raffole de l'électronique et de ce qui peut nous rendre la vie plus facile jusqu'à nous faire oublier de la vivre. S'il y a un enfer, et il y en a un, et nous y sommes, il nous y aura menés gentiment, par légères poussées, sans aucun drame. Escamoter le réel, c'est son charme. Le diable est un jeune homme moderne, ouvert et sympathique. Certes, on pourrait lui reprocher d'aimer l'argent d'un amour immodéré, mais ce serait oublier que l'argent permet à ceux qui le possèdent d'ignorer la rudesse de la matière, et le diable, on ne le sait pas assez, déteste la matière autant qu'il déteste Dieu : l'angélisme est sa vraie nature.

Quand I. me parlait, assise sur le canapé, sa vraie vie se tenait à côté d'elle, comme une ombre à côté de ce dont elle est l'ombre. Dans la conversation, je m'adressais aux deux. Puis les deux se sont levées et sont parties en même temps.

J'aimais découvrir chaque mercredi matin les visages barbouillés de sommeil des enfants auxquels j'enseignais le catéchisme. Deux ans de suite, je leur ai raconté des histoires des Évangiles. Je leur faisais ensuite recopier une parole du Christ dans un cahier, et c'était aussi beau que d'inviter une petite assemblée de rouges-gorges à écrire une phrase parlant du soleil.

Le maire de cette ville, à l'occasion d'un vernissage, croise les bras et garde la tête haute pendant qu'un peintre balbutie quelques mots puis, toujours altier et comme amidonné par sa propre importance, il fait tomber de ses lèvres quelques paroles vagues qui semblent descendre d'un ciel où ne vivent que des princes. Tous ensuite applaudissent et s'ébrouent d'une trop longue immobilité, bavardant, un verre à la main, en regardant les tableaux qui ne changeront rien à leur vie. C'est le théâtre sans gaieté de ce qu'on appelle « la culture » qui, s'il séduit de nombreux esprits, n'en a jamais éclairé un seul.

Une cinquantaine d'étourneaux sont passés entre le tilleul et la fenêtre, comme une volée de pierres lancées par la main d'un géant.

Il a neuf mois. Il est assis à mes côtés dans la voiture que je conduis à travers une campagne inondée de soleil. Tout en surveillant la route, je le regarde de temps en temps. Il a dans les yeux la gravité d'un sage. Il étudie les lumières, les ombres et les lacets de ses petites chaussures qu'il a pris dans ses mains. Parfois une pensée lui fait plisser le front. Je ralentis un peu, me penche vers lui et lui dis en riant : « La vie c'est épatant. On va tous mourir mais c'est quand même fabuleux. » Il interrompt ses études, me fixe de ses gros yeux noirs comme des prunes, sourit en coin et puis reprend ses pensées profondes, imperturbable, royal.

J. a été élevé par une mère institutrice qui le retenait dans la classe pour lui donner des cours supplémentaires, quand les autres enfants couraient sous le soleil. Les années ont passé. J. est devenu un intellectuel, c'est-à-dire quelqu'un que sa propre intelligence empêche de penser. Il écrit des livres sur les vagabonds au dix-neuvième siècle, cherchant en vain dans la poussière des archives la lumière qui enflammait la cour d'école à cinq heures sonnantes.

Un couple vivait dans la même maison que mes parents, à l'étage au-dessus. Dans la cour intérieure commune aux deux familles, le voisin avait planté un rosier qui s'élevait contre un mur. Il le noyait régulièrement sous une pluie d'insecticide. Peu rancunier, le rosier proposait à chaque printemps ses fleurs dont les lumières jaunes, orange et pourpres se détachaient comme une écriture sur le crépi grisâtre du mur. Les soirs d'été, les deux familles se réunissaient dans la cour et parlaient de choses sans importance sous l'amitié des étoiles. Les années passaient sans que la petite cour connaisse d'autre drame que le surgissement impromptu d'un rat échappé de la cave, ou la chute d'un oiseau dans les fleurs de l'hortensia, recueilli par mon père qui aida l'oiseau à retrouver le goût de la vie en lui donnant, plusieurs fois par jour, du pain émietté dans du lait. Puis, sans qu'on y prenne garde, le monde a changé. Des sentiments vieux de plusieurs siècles disparaissaient en quelques mois, comme si on avait exposé à une lumière trop dure des ouvrages trop délicats. Métiers, coutumes, croyances : tout fanait à l'œil nu. Je m'en réjouissais, persuadé que le monde connaissait un rajeunissement, sans comprendre alors que ce changement était dû à une maladie mortelle et que cette vigueur était celle d'une agonie : s'il y a encore aujourd'hui, ici ou là, des roses résistant à nos erreurs, nous sommes de moins en moins nombreux à savoir lire dans leurs pétales comme dans un livre saint.

Deux écureuils jouent à se poursuivre, filant sur le tronc du tilleul, sautant d'une branche à l'autre en dévoilant la blancheur de leurs ventres, aussi absorbés par leur jeu qu'un saint par ses prières.

Les mères par instants cessent totalement d'aimer leurs enfants. Impatientes, épuisées ou déçues, elles sortent de l'amour une seconde puis y reviennent à la seconde suivante, comme on franchit d'un pas allègre un abîme qu'on n'a pas vu. Nous sommes la cause d'un tel désamour de Dieu : excédé, il nous a laissés à notre nuit pour une seconde qui semble durer des siècles. Il ne nous reste plus qu'à attendre la seconde suivante où il nous reprendra.

L'histoire de L. est une des plus belles que je connaisse. C'est l'histoire d'une femme qui s'est entêtée à dire « non » toute sa vie, portant sur les êtres comme sur leurs actes un regard sans faiblesse, afin de préserver un « oui » à la vie quand celle-ci, miraculeusement, se révélait aussi pure qu'un bleuet illuminant le ciel.

Ce matin mes pas m'ont mené vers la tombe de mon père devant laquelle j'ai fumé une des cigarettes qu'il aimait. Le ciel était d'un bleu pur. Les volutes de la fumée s'y élevaient lentement, s'effilochant peu à peu jusqu'à disparaître complètement comme une toute petite prière exaucée.

Elles jetaient leurs feux à une cinquantaine de mètres en avant de moi, brillant comme des éclats de verre bleu, éparpillés sur un écrin bombé de velours vert. Mes pas, jusque-là nonchalants sur le chemin goudronné qui traversait la forêt, ont adopté l'allure plus ferme quoique mélangée d'inquiétude de l'amoureux qui arrive près du lieu convenu de rendez-vous, apercevant au loin celle dont le nom fait battre les tambours de son cœur. La route n'était pas tout à fait plate et par instants leurs étincelles disparaissaient, comme si elles n'étaient qu'une invention de mes yeux fatigués. Quand je suis arrivé près d'elles, elles m'ont aussitôt, avec la simplicité qui fait leur âme, révélé leur nom : des pervenches. Dans leur cœur légèrement creusé, le Christ dont elles sont les frêles prophétesses avait commencé à boire un peu de l'eau du ciel.

Il y a, à Bissy-sur-Fley, à une vingtaine de kilomètres du Creusot, des chemins de terre ocre sur lesquels, la petite H. et moi, nous aimions promener notre insouciance. L'air y était doux et parfumé, et une lumière orangée sautillait sur les murets bordant les chemins, comme un jeune animal ravi de nous suivre. Nous n'étions plus dans la Bourgogne vineuse et âpre, près de ses sous, mais dans une lande détachée du paradis et dérivant lentement sous un soleil humide. Le village de Bissy-sur-Fley s'enorgueillissait de son château qui avait appartenu à un poète ami de Ronsard, Pontus de Tyard. H. en ce temps-là apprenait à l'école les poèmes fondants comme des bonbons de Maurice Carême ou de René Guy Cadou. Le château en ruine l'intriguait aussi peu que la langue des gens du seizième siècle. Elle préférait comme moi se faufiler dans la vieille église dont le sol, légèrement bombé et fait de larges dalles disjointes, ressemblait à la carapace d'une tortue centenaire. Il y avait dans cette église une corde sur laquelle nous nous amusions à tirer : après quelques secondes d'hésitation, la cloche, sortie de son sommeil, faisait trembler le ciel de son humeur bougonne. Nous nous enfuyions aussitôt, Pontus de Tyard et ses amis poètes de la Pléiade nous raccompagnant à la voiture, enchantés par cette fantaisie qui les distrayait de leurs écritures laborieuses.

Un moineau s'est posé sur le bord de la fenêtre, m'a regardé avec une curiosité non dénuée de moquerie, se demandant ce qui pouvait tant m'occuper. Il s'est envolé quand il a compris qu'il ne s'agissait que de l'écriture d'un livre.

Je ne sais plus qui j'ai rencontré hier. Nous avons échangé quelques mots comme on soulève son chapeau devant un convoi funéraire puis nous nous sommes quittés. La plupart des rencontres que je fais ne laissent aucune trace dans ma mémoire.

C'est donc qu'elles n'ont eu lieu qu'en apparence.
Nos images se sont parlé mais pas nos cœurs.

Je ne sais quoi penser de la mort. Elle me semble
étrange — mais pas plus au fond que l'amour ou le
ciel dans les yeux des nouveau-nés. La mort,
l'amour et les yeux brûlants de bleu sont des choses
pures et légendaires. Je les regarde sans comprendre — comme dans la terrible nuit des contes
on regarde les fenêtres illuminées d'une maison
dans la forêt, là-bas, au loin, très loin.

Les moineaux vont et viennent autour du tilleul
comme autant de petites croix volantes.

J'ai rencontré un homme qui avait mon âge et
qui, après s'être régalé du monde, ressemblait à un
noceur fatigué : à notre âge, m'a-t-il dit — il ne l'a
pas formulé ainsi mais ses yeux usés et la gaieté
machinale qu'il tâchait d'y faire monter me le
disaient éloquemment —, les lampions de la fête
s'éteignent un à un, il va falloir songer à rentrer. Je

n'ai rien dit. La plupart du temps il n'y a rien à dire. Moi je ne rentre pas. La fête ne fait que commencer. Devant moi, mon travail et toutes mes espérances : devenir papillon.

S. est en proie à la maladie de la perfection. Elle pense que tout ce qu'elle fait est incomplet, mauvais, raté. Elle voudrait qu'une seconde vie lui soit donnée comme un beau papier blanc sur lequel elle pourrait recopier la première, en lui enlevant ses taches et ses ratures. Elle ne voit pas que le brouillon c'est la vie même.

Il y a des âmes dans lesquelles Dieu vit sans qu'elles s'en aperçoivent. Rien ne laisse deviner cette présence surnaturelle, sinon le grand naturel qu'elle inspire aux gestes et aux paroles de ceux qu'elle habite.

D., quatre-vingt-treize ans, dans la chambre qu'il partage avec un autre résident de la maison de retraite du Creusot, fouille souvent dans l'armoire de son voisin. Je cherche quelque chose mais je ne sais plus quoi, dit-il à la jeune femme qui s'occupe de lui. Et comme elle lui fait remarquer qu'il cherche dans une armoire qui n'est pas la sienne, il répond, paisiblement et comme étonné : oui, et alors ? Et dans ses yeux à cet instant brille la petite parcelle d'or des mystiques pour qui il n'y a plus ni tien ni mien.

Que les gens disparaissent est au fond moins surprenant que de les voir apparaître soudain devant nous, proposés à notre cœur et à notre intelligence. Ces apparitions sont d'autant plus précieuses qu'elles sont infiniment rares. La plupart des gens sont aujourd'hui si parfaitement adaptés au monde qu'ils en deviennent inexistants.

Le tilleul, bien que grelottant de froid sous la pluie, offre encore aux moineaux l'abri de son feuillage.

A. et E. formaient un couple où chacun des deux, par lassitude ou désespoir, avait renoncé à l'amour de l'autre. Ils ne s'étaient pas séparés, recomposant leur lien à une moindre hauteur, dans un goût commun pour les voyages et les antiquités — attaches certes moins fragiles et douloureuses que l'espérance infinie de l'amour. La vie depuis les évitait comme l'eau d'un torrent contourne sans la recouvrir une grosse pierre placée en son milieu.

La plupart des écrivains m'ennuient. Ce n'est pas vraiment leur faute. Je vois bien qu'ils font de leur mieux pour retenir mon attention, mais c'est précisément en quoi ils m'ennuient. Je ne suis conquis que par ceux qui parlent sans penser que quelqu'un les écoute — comme les moineaux ou André Dhôtel.

Les écureuils, dit-on, amassent leur nourriture dans des cachettes qu'ensuite ils ne savent plus retrouver. Un tel oubli me semble lumineux et mystérieusement sage.

N. est décoratrice d'intérieur dans une ville où, pour vivre de son art, elle trouve assez de gens riches et sots au point de ne pas décider seuls de leurs propres goûts. Décoratrice, elle l'est jusqu'au fond de l'âme. Chaque geste qu'elle fait est élégant et sa parole est cultivée, sans ostentation, de même que chaque bibelot dans sa maison est exactement là où il doit être, au millimètre près, pour concourir à la discrète harmonie de l'ensemble. Son cœur comme sa maison sont aménagés suivant un art raffiné et même le désordre y a sa place prévue. Dans une telle vie, la vérité et l'amour, à supposer qu'ils puissent jamais y entrer, apparaîtraient comme des fautes de goût impardonnables.

J'aime bien cet endroit, la décoration a du charme, dit la petite jeune fille qui se trouvait en enfer.

Il n'y a pas d'autre consolation que la vérité.

À l'hôpital psychiatrique où je travaillais, près de Besançon, un malade est accouru vers moi le premier jour, bras ouverts, me disant : je vous reconnais, vous êtes Dieu. J'ai éclaté de rire et répondu négativement en m'excusant de le décevoir. Il a ri à son tour. Les jours suivants, lorsque nous nous croisions dans les couloirs, nous nous entretenions avec le même entrain de ce Dieu dont il avait entendu dire tant de bien et qu'il ne trouvait nulle part. J'avais plaisir à voir cet homme ainsi que ses compagnons d'infortune. Je ne connaissais de trouble que dans les minutes précédant ma journée de travail, quand j'écoutais les infirmiers, dans leur bureau, parler de femmes, de voitures et d'argent. Le vide de leurs conversations m'apparaissait plus insondable que la folie des malades. Un matin, un médecin m'a pris à part comme on gronde un enfant sans vouloir l'humilier et m'a suggéré de mettre un peu plus de distance entre les malades et moi. Vous n'êtes pas vraiment fait pour ce métier, m'a-t-il dit en souriant. Il n'avait pas tort, même si enlever la folie du cœur d'un homme est plus un don qu'un métier. Je suis parti un peu plus tard, non sans saluer une dernière fois celui qui s'épuisait du matin au soir à chercher Dieu dans le premier venu. Qui sait. Peut-être a-t-il un jour trouvé.

J'enterre beaucoup d'écrivains dans des cartons que je descends ensuite à la cave : mon cœur se simplifie en même temps que ma bibliothèque.

Ils sont drôles, les gens. Ce couple vivant gentiment à l'étouffée m'invite à prendre l'apéritif. L'homme me dit : au début de notre rencontre, ma femme et moi consacrions tous nos loisirs à réaliser ces tapisseries que vous voyez devant vous. Nous mettions des heures pour choisir les canevas et la couleur des laines. Au bout de dix ans de mariage nous avons regardé ces tableaux et nous avons pris peur : nous craignions de ne pas avoir assez serré les nœuds. Alors nous avons repris notre ouvrage. Nous l'avons défait et tout refait. Maintenant, c'est convenablement serré et cela devrait tenir au moins trente ans. Oui, ils sont drôles les gens : ils disent ce qu'ils sont et ils n'entendent pas ce qu'ils disent.

Revenue de l'hôpital où son père adoré venait de mourir, M. s'est assise devant le piano dans sa maison. Elle prenait des leçons depuis des mois et ses mains sur le clavier gardaient toujours une crispation. Son professeur, à chaque leçon, lui en faisait la remarque résignée. Elle a commencé à jouer. Ses mains dès la première note ont trouvé la souplesse qui leur manquait.

Dans ce village de Montpont-en-Bresse qu'une route rectiligne traverse comme un couteau une motte de beurre, je venais chercher quelque chose dont me manquait le nom — la belle langueur des longs étés d'enfance, la rumeur du marché du jeudi avec ses voix qui se mélangeaient comme des vagues au bord de la mer, ou la joie qui me prenait quand, soufflant dans une sucette taillée en sifflet, je réussissais à arrêter une voiture traversant le village. Je n'ai rien découvert — que la terre avec la pelote des nuages qui s'enroulait et se défaisait par-dessus, rien d'autre que la vie parfaitement accomplie du présent, même dans ce cimetière où, après avoir flâné pendant une demi-heure entre des noms aussi précieux que des fleurs oubliées entre deux pages d'un missel, j'ai vu la tombe de mes arrière-grands-parents : une dalle foncée et sobre, un bouquet de céramique posé dessus et, loin dessous, des gens dont je connaissais les métiers mais certainement pas les âmes. Il y avait sous cette dalle une femme morte pour s'être égratignée à une rose. J'ai pensé à elle que la cause de sa mort avait exilée dans un conte, à ses trois enfants dont l'un était encore vivant, puis je n'ai plus pensé à rien, émerveillé par les nuages sourdement lumineux du ciel bressan, jetant sur la terre les rayons d'une clarté hors du temps.

Un rouge-gorge, au pied du tilleul, saute à la corde avec un rai de lumière.

Je n'avais que huit ans lorsque, sous la poussée d'une colère, je me suis précipité dans la cour, un soir d'automne, en criant à mes parents : « Je quitte cette maison inhospitalière ! » J'avais sans doute trouvé dans un livre ce mot rare et précis d'« inhospitalier ». Je m'en emparai ce soir-là comme d'une épée tranchante. J'ai fait quelques pas dans le couloir faiblement éclairé qui menait à la rue. Mon père, à distance, y a éteint la lumière. Je suis revenu à la maison, effrayé par les ombres trop épaisses. Je n'ai plus huit ans. Mon père est mort. Je cherche toujours des armes dans les livres et j'écris. Par l'écriture je quitte un monde inhospitalier et j'avance à pas lents dans le noir qui ne m'effraie plus.

Les nouveau-nés tiennent Dieu captif à l'intérieur de leurs petites mains closes.

Certains couples font penser à deux fous dont chacun serait persuadé d'être l'infirmier de l'autre.

Il s'assied tôt le matin devant la porte du bureau de tabac, la main tendue pour une aumône. Son visage est tanné comme du vieux cuir par le soleil. Le bleu délavé de ses yeux fait penser à quelque chose d'aussi ancien et perdu que la petite enfance.

Aujourd'hui, je l'ai rencontré à une place inhabituelle. Il était assis, paisible, sur un banc devant l'école communale. Il regardait le mouvement des passants et des voitures, les oiseaux dans les platanes. Nous avons échangé des cigarettes et quelques mots sans mystère. Comme je m'apprêtais à lui donner une pièce, et avant même que j'en aie esquissé le geste, il m'a dit : « Non, aujourd'hui je ne travaille pas. »

J'ai toujours eu un léger dégoût pour ceux qui sont capables de commenter pendant des heures la finesse ou l'arôme d'un vin, amenant dans leur parole, pour des choses sans importance, une délicatesse qu'ils ne mettent pas dans leur vie.

Trois rois mages dorment d'un sommeil de pierre dans la cathédrale d'Autun. Ils ont été, avec d'autres fresques, détachés et mis dans une salle à laquelle on accède par un escalier en colimaçon. Ainsi proposés à l'admiration des touristes dans une salle froide et circulaire, ils semblent perdus comme des enfants en bas âge que leurs parents auraient égarés dans un grand magasin. J'aime retrouver leur air gauche et sans défense chaque fois que je me rends dans la cathédrale. Ces trois rois dans leur lit de pierre ressemblent à trois petits pains serrés sous la même serviette blanche. L'un d'eux a un doigt effleuré par le doigt d'un ange : il a du coup commencé à s'arracher aux puissances du sommeil. Ses yeux sont forés par l'éveil et il pourra bientôt — c'est une question de minutes, le temps de faire sa toilette et de boire quelque chose de chaud — s'en aller saluer ce qui vient d'apparaître d'absolument vrai et pur dans le monde où rien d'habitude n'apparaît que pour mentir. Quand ce jour-là, quittant la chambre des rois mages, j'ai retrouvé la pénombre de la cathédrale où le silence mûrit comme un vin cuit dans le secret d'une cuve, un enterrement venait de commencer. J'ai eu un fort plaisir à voir le cercueil porté dans l'allée centrale : la cathédrale, à cet instant, secouait la poussière de l'esthétique déposée sur ses épaules et quittait son funèbre statut de chef-d'œuvre pour revenir à sa juste tâche de bénir les morts et réconcilier les vivants avec la vie. Il régnait alors dans ce lieu une vérité si puissante qu'elle dissuadait tous les touristes de faire un seul pas de plus. Sous un tableau d'Ingres, exposé dans une aile de la cathédrale, j'avais quelques minutes auparavant lu ceci : « À cette heure la vie n'est pas perdue, elle est changée. » Je me suis répété plusieurs fois cette phrase en regardant l'avancée vers le maître-autel du cercueil où celui que sa mort avait fait roi commençait à s'éveiller pour saluer l'absolument vrai et pur.

Plusieurs fois par jour je regarde furtivement par la fenêtre la lumière dorée du tilleul, comme un chat lape son lait à petites gorgées promptes et avides.

Dans mon enfance, au premier de l'an, on me demandait d'embrasser une dame qui m'offrait en échange de ce baiser des pâtes de fruits qu'elle avait cuites elle-même. Je me souviens aussi d'une voisine célibataire qui écoutait des disques d'opéra et s'occupait de son père malade. Il y avait encore, dans un quartier éloigné du mien, un homme avec une jambe de bois. Ces gens n'avaient pour moi qu'une existence très faible et pourtant indispensable, comme les figures secondaires des contes.

Lorsque des années plus tard j'ai appris leur mort, elle m'a semblé aussi irréelle que leur vie : les personnages des contes de fées peuvent-ils mourir, et s'ils meurent, que deviennent leurs pâtes de fruits, leurs vieux disques rayés et leurs jambes de bois, dans quel paradis sont remisés ces accessoires que je ne peux pas plus détacher d'eux que je ne peux séparer un roi de sa couronne ?

Je donne sans regret toutes les belles paroles des plus grands esprits pour cette seule remarque de A., regardant un moineau folâtrer à ses pieds à la terrasse d'un café : « Celui-là, il ne saura jamais à quel point il me fait plaisir. »

J'ai enlevé beaucoup de choses inutiles de ma vie et Dieu s'est rapproché pour voir ce qui se passait.

Dans cette rue de Chalon-sur-Saône, une dizaine de restaurants fixaient les passants de leurs vitrines éclairées, comme autant de chouettes alignées sur une branche d'arbre, considérant de leurs gros yeux insomniaques les promeneurs d'une forêt. L. et moi entreprîmes de regarder les menus affichés tout en examinant l'intérieur des salles. Il fut aisé d'éliminer deux ou trois restaurants que la mélancolie habitait : pas un client à l'intérieur, juste un serveur accoudé au bar comme le gardien d'un phare en ruine. L'ange de la désolation était passé dans ces lieux, les dépeuplant à jamais. Devant l'un d'eux, une pancarte en bois, couvrant presque tout le trottoir et gênant la progression des marcheurs, proposait en grosses lettres noires « moules et frites à volonté », résonnant comme un appel si désespéré qu'il dissuadait définitivement d'entrer là.

Bientôt il ne restait plus de choix raisonnable que celui d'un restaurant convenablement éclairé, convenablement empli de monde, convenablement décoré. Rien n'est plus attristant pour l'âme que le « convenable », mais il s'agissait avant tout de manger et nous allions y pénétrer quand nous avons aperçu, à l'extrémité de la rue pleine d'ombres, le néon d'un restaurant que nous avions négligé. Nous ne sommes pas tout à fait perdus, dit le Petit Poucet à ses frères, je vois le tremblement d'une lumière au loin. Le Petit Poucet suivi par ses frères, ainsi que L. et moi, dirigeâmes nos pas vers ce restaurant du bout du monde. Le menu, par l'intitulé du premier plat, touchait à la perfection des contes : une soupe de grenouilles. Nous entrâmes. Il suffit parfois de faire un mètre pour franchir plusieurs dizaines d'années. Nous nous trouvions dès la porte passée dans une salle tout en boiseries, avec un plafond haut comme un ciel de grandes vacances, des nappes lie-de-vin sur les tables, une armoire géante au fond de la pièce où vraisemblablement étaient empilés des draps plus que de la vaisselle. La sensation était moins celle d'entrer dans une salle de restaurant que dans le salon de quelque châtelain assoupi sur la gloire pâlie de ses ancêtres. Les deux habitants des lieux — ceux qui devaient nous servir en multipliant les grâces — avaient dans leurs manières un mélange de vraie gentillesse et d'attention maniaque. Le cérémonial autour de la nourriture m'a depuis toujours accablé, et je ne sais par quelle hérésie vulgaire on accorde à un rôti ou à un vin des hommages que seul un Dieu d'amour pourrait légitimement inspirer. Il y a quelque chose de répugnant dans ces visages penchés avec recueillement sur ce qui n'est au bout du compte qu'une viande morte ou du jus de raisin vieilli, comme s'il s'agissait des reliques secrètement puissantes d'un saint. Les deux serveurs, poussant ce rituel jusqu'à la préciosité, n'en faisaient plus sentir que l'adorable désuétude. Ils étaient comme ces vieillards d'un siècle détruit qui s'entêtent par courtoisie à manier l'imparfait du subjonctif pour dire des choses banales. Il y eut dans la soirée un silence soudain si fort que, quittant notre conversation, L. et moi tournâmes nos regards vers la table voisine où se passait une scène comparable par son intensité, son étrangeté et sa durée interminable, à une annonciation : le serveur, corps raidi et bras tendus, présentait à deux convives la bouteille qu'ils avaient commandée. Aucun des trois ne bougeait plus ni ne prononçait aucun mot. Le vin rouge dans la bouteille inclinée brillait d'un feu noir, éclipsant par son éclat la présence de ceux qui l'adoraient en silence. Enfin les trois figurants sortirent de leur sommeil et la vie revint — bourdonnement des voix, cliquetis des couverts et danse des serveurs circulant entre les tables avec la souplesse de fantômes bienveillants. Ce n'est qu'à l'instant de partir que je demandai au patron le nom de son restaurant. Il est toujours bon de connaître le titre du conte dans lequel un soir on s'est merveilleusement égaré. Celui-là s'appelait : « Au cœur fidèle ».

J'ai vu se poser sur la branche du bouleau un oiseau dont je ne connaissais pas le nom, si flamboyant qu'il m'a plongé dans une stupeur qui a duré longtemps après son envol. Chaque fois que je pense à ce petit porteur de feu, je sens dans ma poitrine la douleur de ne pouvoir dire son nom.

C'était un épicier ambulant. En visite chez mes parents, il s'asseyait dans la cuisine en retournant sa chaise, bras croisés sur ce qui d'ordinaire servait d'appui. Les années ont passé, il a disparu et, si son corps n'est plus que poussière, il demeurera pour moi jusqu'à la fin des temps sur cette chaise de bois brun, les bras appuyés sur le dossier et bavardant sans fin, comme si la bonhomie de ses paroles et son attitude l'avaient mis à l'abri de la mort qui saisit tout mais ne peut rien contre la fantaisie des âmes.

Je viens d'avoir un entretien silencieux avec un enfant âgé de dix mois. Nous nous sommes regardés dans les yeux pendant plus d'un quart d'heure. Il y a dans les yeux plus de mots que dans les livres. Notre entretien était d'ordre métaphysique. Je me réjouissais de sa présence et il s'étonnait de la mienne. Nous sommes parvenus à la même conclusion qui nous a fait éclater de rire en même temps.

Quand, pendant un été, je travaillais dans les hôpitaux de Dijon, je conduisais une camionnette où je chargeais successivement des morts, des pains et du linge sale. Je devais faire plusieurs fois par jour un trajet dans la ville, suivant certains horaires. J'avais noté dans un carnet tout ce qu'on m'avait expliqué le premier jour. Ces notes m'ont servi pendant toute la durée du travail. L'habitude ne pouvait m'aider : rien ne s'inscrivait dans ma mémoire et je devais relire mon carnet chaque matin. J'ai toujours été ainsi quand il me fallait aller dans le monde, que ce soit pour un travail, pour des études ou pour toute autre raison : à la recherche d'un mode d'emploi que je n'ai jamais vraiment trouvé. Depuis toujours je multiplie les ruses pour ne pas trahir mon absence à un monde dont je n'ai jamais compris ni les affaires qui l'occupent ni les plaisirs qui le reposent. J'essaie parfois d'apprendre cette langue étrangère que presque tous parlent. Je n'y parviens que momentanément. Ce sentiment du monde est très ancien. Il vient sans doute de la petite enfance. J'ai dû refuser d'y apprendre quelque chose qu'on ne peut plus apprendre par la suite. J'ignore s'il s'agit d'une grâce ou d'une infirmité. Je sais seulement qu'il m'est impossible de vivre dans un monde auquel je ne crois pas.

L. dans une conversation se prenait parfois à rougir. Son visage avec ses joues enflammées, légèrement arrondies par un reste d'enfance, ressemblait alors à celui d'une jeune paysanne comme il s'en trouve dans les contes et dont on s'aperçoit à la fin que sa bonté faisait d'elle une princesse.

Au marché un fermier a sorti une poule vivante pour l'échanger contre de l'argent. La poule a poussé des cris de terreur comme si elle devinait que la transaction entre le fermier et le client avait pour but prochain son sang versé et sa chair dévorée. Ces cris ont duré de longues minutes. Ils étaient si manifestement inspirés par la vision de la mort qu'ils en devenaient humains et que j'ai pressé le pas pour ne plus les entendre, me frayant un chemin parmi les badauds avec, au cœur, le sentiment d'abandonner à ses bourreaux celle qui n'avait plus comme ressource que d'appeler à son aide un ciel impassiblement bleu.

Le Polonais à la maison de retraite cueillait des fleurs dans les plates-bandes pour les offrir aux infirmières. Les fleurs volées étincelaient entre ses doigts, réjouies par une vie devenue soudain plus brève mais plus pure.

J'étais entré dans une librairie, curieux des livres récemment parus. J'ai reconnu les noms de quelques auteurs que j'avais autrefois aimés. Ils me semblaient aujourd'hui plus lointains que des morts. Je suis sorti sans rien acheter et je me suis arrêté chez le buraliste. Il était seul. Il m'a parlé — il avait jadis vécu à la campagne — de deux vaches qui étaient si amies que lorsque leur maître, profitant d'un agrandissement de sa ferme, les avait séparées, attribuant à chacune une litière éloignée de l'autre, elles avaient pendant une semaine refusé de manger, jusqu'à ce qu'on les réunisse à nouveau. Je suis sorti du magasin. Il pleuvait. Je ne cherche dans les livres que les signes d'un amour non corrompu par ce monde, une réalité dont on ne puisse plus douter. Je l'avais rencontrée ce matin avec l'histoire des deux vaches inséparables et de leurs cœurs magnifiquement têtus, en feu sous l'épaisseur de leur cuir.

Aujourd'hui, mon père récemment disparu se tenait à mes côtés. Comme moi il n'a rien fait de la journée. Il souriait, c'est tout.

Bien que vivant à Paris où personne ne peut vivre, j'entends à mon réveil le chant d'un merle, me dit G. Mon choix à cet instant est le suivant : entrer dans ma journée avec cette cantate ailée, ou appuyer sur le bouton du transistor pour entendre les nouvelles d'un monde qui, au fond, ne sont jamais neuves. Ma joie et mon cœur vont vers le merle et je ne sais quelle puissance plus grande me fait appuyer sur le bouton du poste. Étrange, ajoute-t-il, comme nous sommes à nous-mêmes nos pires adversaires.

Le langage est en nous comme un organe vital et c'est avec tristesse que j'ai entendu cet ingénieur, trop affairé pour aller chercher ses enfants à l'école ou pour jouer avec eux, prétexter d'un « simple problème de logistique » — comme si je lui découvrais soudain une maladie mortelle.

Chacun de nous naît avec une tâche solitaire à remplir et ceux qu'il rencontre l'aident à l'accomplir ou la lui rendent encore plus difficile : malheur à qui ne sait pas distinguer les uns des autres.

Nous sommes trois : un chat blanc dans les lointains du parc, rôdant avec un regard en dessous, un écureuil sur une branche basse du tilleul, interrompant sa toilette matinale pour surveiller le chat qui vient de se figer, et moi qui regarde les deux autres. Entre nous trois, un fil invisible est tendu. Personne ne bouge. Puis tout se dénoue : le chat s'éloigne d'un pas fatigué, l'écureuil se frotte les oreilles et je commence à écrire sur cette communauté d'attention que nous avons formée, hors du temps.

Je voudrais parfois entrer dans une maison au hasard, m'asseoir dans la cuisine et demander aux habitants de quoi ils ont peur, ce qu'ils espèrent et s'ils comprennent quelque chose à notre présence commune sur terre. On m'a assez dressé pour que je retienne cet élan qui pourtant me semble le plus naturel du monde.

Mon bureau est face au bouleau et le bouleau est face à Dieu. J'essaie de mettre mes mots dans leur alignement.

Ce matin-là, G. m'amenait les yeux d'Agnès. Agnès était née dans une famille noble et riche comme on en voit seulement dans les contes, ou bien en Angleterre. Les parfums hors de prix, les bijoux anciens, les soies fines et les voyages dans un monde impeccablement lisse — oui, il y eut tout cela autour d'Agnès, de son berceau à sa tombe, mais la merveille n'était pas dans l'argent ni dans la litanie un peu lassante des portes qu'il fait s'ouvrir devant lui comme dans un songe. L'unique merveille était le cœur d'Agnès : un diamant dont la pureté donnait à ses yeux une lumière implacable. Plus que de merveille, il faudrait parler de miracle : une sainte milliardaire — ces deux mots ne peuvent aller ensemble et pourtant ils conviennent parfaitement à cette jeune femme, comme la chaussure manquante au pied de Cendrillon. Agnès avait reçu à la naissance l'argent et la beauté. L'argent peut cheminer dans un cœur comme un ver dans une pomme. La beauté d'une femme, et la puissance qu'elle lui donne sur les hommes faibles, peut l'enivrer, la persuadant qu'elle s'est elle-même engendrée et que, comme à une divinité, tout lui est dû. Agnès avait pour elle ces deux choses dont une seule suffit pour détruire une âme. Sa bonté l'avait préservée, lui inspirant une conduite tout à la fois pleine de délicatesse et intransigeante. Je préfère, disait-elle, coucher sous les ponts plutôt que de vivre aux côtés d'un homme que je n'aimerais pas. Infiniment rares sont les femmes qui, dans leur goût de l'amour, ne font entrer aucune ombre de calcul. Sa pureté brûlait sur place dans ses yeux, comme un feu perpétuel. La souffrance et la maladie sont venues, jalouses de tant de gloire. Elles ont pris Agnès et l'ont, non sans quelque atroce lenteur, tuée. G. qui l'avait connue et aimée est venu me voir encore un peu plus tard. Pour qu'une seule histoire aille de son début à sa fin, il faut à chaque fois le temps de toute une vie. G. est un dessinateur. Il m'a montré quelques-unes de ses œuvres. Sur un carton, les yeux d'Agnès : quelques traits à la mine de plomb ouvrant le blanc du papier sur un brasier d'étoiles. G. avait arraché le regard d'Agnès au grand froid de la mort et à présent cette femme que je n'avais pas connue était là, aussi réelle que moi,

que mon interlocuteur ou que les oiseaux se cha-
maillant à deux mètres de nous. Par instants je crois
que nous ne mourrons jamais. À d'autres instants je
pense que nous sommes plus perdus que des jouets
dont un enfant ne se sert plus. La vérité, qui peut la
dire ? Une chose m'était claire ce matin-là, et une
autre me devenait obscure. Ce qui était clair était le
don absolu de G. pour le dessin. Ce qui me devenait
obscur était la vie avec la mort — comme si l'une et
l'autre étaient d'un coup sorties des places que
nous leur attribuons ordinairement : les yeux
d'Agnès brûlaient ce matin devant moi, comme
saisis par une fièvre que la mort elle-même ne dimi-
nuait pas. Finalement, nous ne pourrons jamais
rien énoncer de sérieux — je veux dire de vérifiable
concernant la vie ou la mort, à supposer qu'elles
soient distinctes. Nous ne trouverons pas de notre
vivant la vérité — mais qui sait si, en la cherchant
malgré tout, elle ne s'approchera pas de nous, attend-
rie par nos efforts ? G. est parti chez lui en emportant les yeux d'Agnès. Les morts ne savent pas qu'ils
sont morts, pas plus que les vivants ne savent qu'ils
sont vivants. Personne ne sait grand-chose. Des yeux
brûlent dans le noir. Ils essaient d'attirer notre
attention.

Adorables mouettes du vieux port de La Rochelle, vous m'avez sauvé de l'ennui de contempler des pierres qui, pour avoir été trop souvent admirées, ont perdu leur âme. Ma pensée était vide au matin, devant ce port que je découvrais par la fenêtre de ma chambre d'hôtel : d'avoir été trop photographiées, les vieilles pierres avaient perdu tout éclat comme une bête sauvage, dans la domestication, perd le lustre de son pelage. Seul leur fantôme pouvait encore briller sur la surface pelliculée des cartes postales, avec en médaillon le portrait de Richelieu, vêtu de rouge et semblable à une fraise hors saison, rutilante et sans saveur. Je m'apprêtais à repartir quand, sur la jetée, près de ma voiture, je vous ai vues et entendues : vous vous disputiez quelques graines éparpillées sur le pavé. Vos cris ressemblaient à ceux de bébés et de porcelets. Cer-

taines d'entre vous, les yeux cernés du même noir
velours que le bec, semblaient porter des masques
de Mardi gras. L. et moi sommes restés à vous
regarder pendant de longues minutes. Vous ne
nous craigniez pas. Vous poursuiviez vos recherches
de nourriture à un mètre de nous, nous offrant vos
cris invraisemblables et la maladresse un peu fière
de vos pas sur la terre. Je pensais quitter
La Rochelle en emportant l'image d'une citadelle
enfermée dans l'Histoire comme un bateau minia-
ture dans une bouteille. J'en suis reparti avec vos
cris et votre confiance en la vie qui nourrit ses
enfants. La voiture roulait, la ville s'éloignait dans le
rétroviseur, redevenant un nom sur une carte, et
j'entendais toujours dans mon cœur le carnaval de
vos âmes vivantes.

Ne croyez pas que je sois bon, sage ou même intelligent, croyez seulement à ce que j'ai vu car je l'ai réellement vu.

Œuvres de Christian Bobin (suite)

Aux Éditions Paroles d'Aube

LA MERVEILLE ET L'OBSCUR

Aux Éditions Brandes

LETTRE POURPRE
LE FEU DES CHAMBRES

Aux Éditions Le Temps qu'il fait

ISABELLE BRUGES (repris en Folio n° 2820)
QUELQUES JOURS AVEC ELLES
L'ÉPUISEMENT
L'HOMME QUI MARCHE
L'ÉQUILIBRISTE
LA PRÉSENCE PURE

Livres pour enfants

CLÉMENCE GRENOUILLE
UNE CONFÉRENCE D'HÉLÈNE CASSICADOU
GAËL PREMIER ROI D'ABÎMMMMMMME ET DE MORNELONGE
LE JOUR OÙ FRANKLIN MANGEA LE SOLEIL

Aux Éditions Théodore Balmoral

CŒUR DE NEIGE

Aux Éditions Fata Morgana

SOUVERAINETÉ DU VIDE (repris en Folio n° 2681)
L'HOMME DU DÉSASTRE
LETTRES D'OR
ÉLOGE DU RIEN

Achevé d'imprimer
sur Roto-Page
par l'Imprimerie Floch
à Mayenne, le 28 septembre 2001.
Dépôt légal : septembre 2001.
1er dépôt légal : septembre 2001.
Numéro d'imprimeur : 52523.

ISBN 2-07-076068-5 / Imprimé en France.